大地の芸術祭
越後妻有アートトリエンナーレ2024

JN021731

公式ガイドブック

大地の芸術祭 越後妻有アートトリエンナーレ2024

開催概要

開催日程	2024年7月13日（土）〜11月10日（日）［全87日］ ※全日程を通して火水定休
鑑賞時間	10:00〜17:00（10・11月 10:00〜16:00） ※案内所や拠点施設などによって異なる場合あり、各エリアページをご参照ください
開催地	越後妻有地域（新潟県十日町市、津南町）760㎢
作品数	311点（うち新作・新展開85点）
参加作家	41の国と地域275組 （うち16の国と地域、100組が新規） ※ひとつの作品・企画展内に複数作家参加の場合あり
主催	大地の芸術祭実行委員会 NPO法人越後妻有里山協働機構 独立行政法人日本芸術文化振興会 文化庁
実行委員長	関口芳史（十日町市長）
副実行委員長	桑原悠（津南町長）
名誉実行委員長	花角英世（新潟県知事）
総合プロデューサー	福武總一郎（公益財団法人福武財団名誉理事長／株式会社ベネッセホールディングス名誉顧問）
総合ディレクター	北川フラム（アートディレクター）
クリエイティブ・ディレクター	佐藤卓（グラフィック・デザイナー）
オフィシャルサポーター・リーダー	高島宏平（オイシックス・ラ・大地株式会社代表取締役社長）

令和6年度日本博2.0事業（委託型）

問い合わせ	大地の芸術祭実行委員会事務局 （十日町市文化観光課芸術祭企画係） Tel. 025-757-2637　Fax. 025-757-2285 Email: info@echigo-tsumari.jp 「大地の芸術祭」公式HP https://www.echigo-tsumari.jp

四半世紀を経てもなお色褪せない「大地の芸術祭」

関口芳史［大地の芸術祭実行委員長］

第9回展となる「大地の芸術祭 越後妻有アートトリエンナーレ2024」が、いよいよ始まります。

青い空、白い雲、木々の緑や庭に植えられた鮮やかな花々。越後妻有においては、日常の彩りが美しく、訪れた人々を魅了します。加えて、食文化の深さ、この地に住まう人々の寛容さに触れたとき、多くの人が感銘を受けることでしょう。

大地の芸術祭は、2000年の第1回展から25年、四半世紀が経とうとしています。第1回展から続く基本理念「人間は自然に内包される」は、地震や豪雪、豪雨など、幾度もの自然の驚異を乗り越え、あるいは受け入れ、それでもなお自然からの恩恵に感謝しながらこの地で生きる人々とともにあります。また、基本理念を軸として重ねてきた挑戦は、越後妻有を世界中が注目する土地へと成長させました。

越後妻有での旅人の感動の背景には、脈々とこの地を守り続けている地域住民の努力と忍耐、強い信念があります。それが真の豊かさといわれる所以であり、根幹の価値があると確信しています。

エネルギー溢れる夏から実り多き秋までの長期間、皆さまを歓迎いたします。里山の魅力を体感する旅へ、作品鑑賞パスポートを片手にぜひお出かけください。

アートによる新しい地域づくりの芸術祭へ

福武總一郎［大地の芸術祭総合プロデューサー］

能登半島地震によりお亡くなりになられた方々に謹んでお悔やみを申し上げるとともに、被災された皆さまに心よりお見舞い申し上げます。今回の震災は自然への恐怖と畏敬、そして、それへの万全の備えの大切さを感じさせる出来事でした。

今回で9回目となる「大地の芸術祭」は、地域型芸術祭の先駆けとして、厳しくも美しい大自然のもと、独自の風土や文化を保つ越後妻有の土地で、その魅力を発信し続けてまいりました。今では「瀬戸内国際芸術祭」とともに世界的に注目を浴びる芸術祭となりました。

経済偏重、過度な都市への集中といった世界共通の社会課題に対し、メッセージ性の高い現代アートを巡りながら、その土地に住むお年寄りの方々と交流し、季節ごとに表情を変える自然や地域の文化に触れることで、多様な人々が芸術祭に関わり、ボランティアへの参加やさらには移住につながるなど、アートによる新しい地域づくりの先駆的なモデルとして、世界的にも定着してきたのだと思います。「大地の芸術祭」が、一段と成長して通年でいろいろなイベントも催され、地域に根ざした芸術祭になりつつあることは、本当に嬉しく思います。

「経済は文化の僕である」という文化や経済に対する考え方をベースに、日本人が古来よりもっている「在るものを活かし、無いものをつくる」という考え方や、「人生の達人であるお年寄りの笑顔があふれるコミュニティにこそ本当の幸せがある」というメッセージを、「大地の芸術祭」を通じて国内外へ発信していきたいと思います。

生活空間×美術の化学変化がひらく可能性

北川フラム［大地の芸術祭総合ディレクター］

寄稿／北川フラム（総合ディレクター）

大地の芸術祭は、不思議な経路をたどったお祭りです。たとえば、3月下旬にひらかれた芸術祭の事務局会議では、総勢112点にもなる個々のアーティストの新規・新展開の作品についての構造、材料の検討のほか、制作会議で障がい者による活動の可能性や各地域での説明会、家主との家賃交渉、ガイドブックへの載せ方などが打ち合わせされるほか、作品キャプションの看板、消防点検などが俎上に載せられます。また運営分科会では、サポーターの受け入れ体制、越後湯沢駅内の案内所、インバウンド対応、夏の暑さ対策、非常時・災害マニュアルの策定のほか、第1回展のときのお客様への必死の対応に学んだことなどが話し合われます。また交通分科会では、土日に連日行われるオフィシャルツアーのほか、社会問題の解決に向けて動いている株式会社リディラバのフィールドアカデミーが始まり、会期中には企業・グループのカスタマイズツアーや海外の旅行社のツアーの予定が詰まっていることがわかりました。ほかにはガイドブックの制作がたけなわです。

総務分科会ではありがたい協賛の予定や、東京・妻有・上海での企画発表に向けた状況報告がありました。

今、少し説明したように760㎢で41の国と地域から275組の作家の作品が家や学校、施設、屋外、公園で展開されていて、海外を含めて50万人ほどの人々が平均1泊2日で巡る芸術祭とは、いってみればかつての万国博覧会のような規模と準備がいるものになっているのです。1日200人ほどの人が運営に関わっているわけです。

これは、2000年の第1回展のときとは比べものになりません。1日1人しか来客がない山間地の廃校があり、「バスは空気を運んでいるだけだ」「全作品を一箇所に集めた方がいい」などと言われた出発でした。それが地域づくりのモデルとなり、サイトスペシフィックな作品が日本の観光を代表するツアー型の美術展として、漫画・アニメ・日本食と並ぶ日本独自の発明品とすら言われ始めたのです。

どうしてそうなったのか？

出発は国が音頭を取った平成の大合併です。地方創生の名のもとでのリストラ、合理化政策でしたが、都市集中・地方切り捨ての方針の中で、中山間地の豪雪地、過疎地におしかぶさる少子高齢化、若年労働力の都市への流出、農業の縮小を受けた地域力の減少、コミュニティ崩壊をどう食い止めるかなどの課題に、有史以来美術がもっていた、自然の中で自然とともに生きる技術を活かし、美術を単なる作品としてだけ捉えるのではなく、作品をつくり、お見せしていく過程で生じる思いもかけない人間同士の押し合いへし合い、大都市の高層均質空間でのホワイトキューブで測られる評価ではない、空間全体、生活空間との絡み合いの中で不可思議な化学変化のような瞬発力と持続力が生まれてきたのです。現代美術は都市のものだという通説に対して、ないないづくしの田舎で、近代以来の商品化された美術ではない展望がひらかれ始めたのかもしれないと思うのです。

2010年から始まった世界最大級の瀬戸内国際芸術祭と並んで、中国・台湾では「大地の芸術祭」という言葉が普通名詞のように使用されているばかりでなく、それぞれに独自の文化をもったアジアの各地域で大地の芸術祭の手法が参照されました。コロナ前の2019年の瀬戸芸では、延べ8,000人強のサポーターの半数以上が海外からの人であったことが良い例です。

今年の元日の能登半島地震は、以上のことがまた新しい潮流をつくっていることを教えてくれました。震災後多くの義援金や手伝いの希望が寄せられました。そしてそれらの人々は記事や映像を見て、今までとは異なったリアリティを感じたと言ってくれます。昨年秋に開催された奥能登国際芸術祭は岬巡りを軸とした里山里海の芸術祭ですが、来訪された多くの人にとって震災の報道で目にする地名や映像はご自分が実際に歩いた場所だったのです。このとき、アートは土地に建てられた碑であり、歴史・生活だったのです。もともとあった土地に根ざした固有の生活に美術は深く関わり、効率一辺倒の世界にひとつの可能性を見せてくれたのです。

目次

四半世紀の取り組みで育まれてきた考えと
今回の見どころ

大地の芸術祭の300点以上におよぶ作品は、越後妻有地域と呼ばれる新潟県十日町市・津南町に点在します。2005年に行われた「平成の大合併」以前の、旧6市町村（旧十日町市、川西町、中里村、松代町、松之山町、津南町）や各集落での営みや文化を土台に、アートによってその魅力を残して伝えていこうとする試みです。本書では9回展の内容を中心にご案内していますが、ガイドブックを補完するつもりで大地の芸術祭の四半世紀の蓄積を『越後妻有里山美術紀行』に書きましたので、ぜひあわせてお読みください。そのダイジェストを今回の見どころとしてご紹介します。

個々の五感を通して

美術は人間が母なる自然と関わっていくための方法です。海岸に残された足跡、アルタミラやラスコーなどの洞窟絵画。木や土や石などの素材を道具や器にすること。暗闇に見える幻影、象形文字、図像、踊り、歌、詩。美術は社会を映し、文明はそれらの手立てをもとに時代の潮流をつくってきました。

しかし人々の具体的な生活はここ数千年、そんなに変わっていません。ウクライナとガザで大量殺戮が行われ、戦争、疫病、飢餓は私たちの生存をおびやかします。そして人類の中心となる考え方は効率第一の資本主義。そうした経済中心の世界が限界を迎えようとする時、私たちは、歩く、見る、触る、聴くなど、個人の五感の体験から出発するほかありません。

里山の自然と、地域の建造物を生かした作品展開

越後妻有では、作品をつくるための協働や環境、五感と感応する状況や体験の場を、作品が導いてくれます。川、森、道、棚田、ダム、空き家・廃校。《最後の教室》や《奴奈川キャンパス》《うぶすなの家》《脱皮する家》《鉢&田島征三 絵本と木の実の美術館》など、この四半世紀にできた作品や施設の多くは、あるものを活かし新しい価値を生み出しています。

Photo by Miyamoto Takenori/Sans Soleil

《鉢&田島征三 絵本と木の実の美術館》※詳細はP046

Photo by T.Kuratani

《最後の教室》※詳細はP098

Photo by Yanagi Ayumi

"子ども五感体験美術館"
《奴奈川キャンパス》

今回、松代エリアの旧奴奈川小学校《奴奈川キャンパス》を、光、音、紙、木など五感全開で体験できる施設に変え、作品と対話する環境、一人ひとりの経験として蓄積される場をつくります。

美術館でも、温泉施設でも、作品が楽しめる
《モネ船長と87日間の四角い冒険》

十日町エリアの拠点施設である越後妻有交流館では、《越後妻有里山現代美術館 MonET》の回廊と《明石の湯》のエントランスにて、"遊び"から現代美術に至るための場となる企画展を開催します。

原倫太郎＋原游《The Long and Winding River (tunnel and table)》／明石の湯
※作品詳細はP038～043

Photo by Nakamura Osamu

地域を深掘りする

初めて越後妻有を訪れる方は、ぜひ中里エリアの《磯辺行久記念 越後妻有清津倉庫美術館［SoKo］》（P064）に立ち寄ってみてください。磯辺行久の活動全貌の展示とともに、越後妻有の地勢や暮らしをアートによって深く理解できる場所になっています。

越後妻有を知ることができる作品群
《磯辺行久記念 越後妻有清津倉庫美術館［SoKo］》ほか

今回、氏は津南エリアの清水川原での屋外プロジェクト《驟雨がくる前に「秋山記行」の自然科学的視点からの推考の試み-1》と、その補完展示を清津倉庫美術館の体育館棟で行います。これらもまた、大地の芸術祭の立脚点を明らかにしてくれます。

Photo by Nakamura Osamu

Photo by Nakamura Osamu

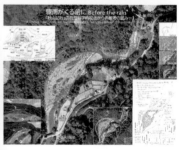

磯辺行久の作品群（上）《川はどこへいった》2000, 2018再展示／（左）《サイフォン導水のモニュメント》2018／（右）《驟雨がくる前に「秋山記行」の自然科学的視点からの推考の試み-1-》※作品詳細は P115

最深部・秋山郷ではじまる、
生活技術を学ぶ"共有地"の試み
《アケヤマ−秋山郷立大赤沢小学校−》

今回は、越後妻有の最深部・境界に力を入れます。古くから人間と自然の浸透しあう津南エリアの秋山郷にあり、長野県との境にある旧津南小学校大赤沢分校では、深澤孝史と佐藤研吾による《アケヤマ−秋山郷立大赤沢小学校−》のプロジェクトが始動します。

監修:深澤孝史　会場構成:一般社団法人コロガロウ/佐藤研吾《アケヤマ −秋山郷立大赤沢小学校−》
※作品詳細は P111

有史以降の人間の営み、
時を感じる
《時の回廊 十日町高倉博物館》ほか

そのほか川西エリアの高倉では、力五山−加藤力・渡辺五大・山崎真−−による《時の回廊 十日町高倉博物館》が地域の文化や営みに深く触れることができる場となります。
また、十日町エリアの小貫にできる、磯辺行久の《葬送は分け隔てのない越後妻有に特有な"和み"の文化の証であった》（P031）は、前回展に引き続き、今はなき廃村のリサーチがベースとなっています。

力五山−加藤力・渡辺五大・山崎真−−《時の回廊 十日町高倉博物館》※作品詳細は P060

世界とつながる

芸術祭では可能な限り、多様な出自のアーティスト、考えの異なる作家を招待してきましたし、手間のかかる公募を行ってきました。今まで70の国と地域、1,000人以上の作家が参加し、来訪者も延べ300万人にのぼります。

ウクライナの美術・文化の現在
ニキータ・カダンによるシンポジウムやフィルムアート上映展示

今回は現ウクライナのドニプロ出身で、旧ソ連からロシア、そしてアメリカへと移り住んだイリヤ&エミリア・カバコフの旧ソ連時代の作品の再制作を含む、作品群9点を「カバコフの夢」として展示します。また、ウクライナ最良のアーティストであるニキータ・カダンをお呼びできることになり、氏のここでの新作と、これまでの作品、彼が選んだ映像3作を上映します。あわせてウクライナの食や文学を楽しめる1週間「ウクライナウィーク」を開催します。

また、2016年の瀬戸内国際芸術祭から続いている「アジアフォーラム」の越後妻有版を開催し、国内外のアーティストを招いて、アーティストや地域の今について考えます。日本列島は地政学的にもアジアに属し、その構成者として私たちがどう進むかが大切だからです。

ウクライナ
ウィーク

ニキータ・カダン
※シンポジウム詳細は P121

ニキータ・カダン《別の場所から来た物》
※作品詳細は P107

美術は世界の80億人一人ひとりの生命のあらわれ、あるいは自然との関わり方の技術です。大げさに言えば地域に生きる80億人分の生理と関わり方がある。それがわかりやすく表現された美術作品が優品といわれてきました。その作品の捉え方には時代精神や国の規制や共同体の雰囲気が作用します。

NHKの「新日曜美術館」の解説を6年間担った文学者・小野正嗣さんが、「美術はそこに関わる環境によって捉えられることがわかった」と述べられていました。それは私たちが関わってきた地域芸術祭でいえば、作品の定位はそれ自体のコンセプトや出来上がり具合とともに、そこに住む人、手伝う人、伝える人、鑑賞する人々との生活や会話や関わりあいなどの環境によって決まる。その最もベースとなるのは地球上80億人それぞれの生活と感情の総和なのです。それ故に、芸術祭では多様な作家が参加し、多様な人々が来られればよい。それが固有の場でどう対話し、関わり合うかということが大切なのではないでしょうか。

Photo by Nakamura Osamu

《大地の運動会》※イベント詳細はP120

地域住民とさまざまな人々とつくる
《大地の運動会》

特に今回の目玉は9月に開催する《大地の運動会》です。運動会は日本に特有なもので、学区の爺さま婆さまや、親、未就学児などの皆がでてきて、競技に参加したり、応援したりします。お年寄りの「水入れリレー」や、ランドセルやズックを拾っていく「来年は1年生」などの種目がありますが、何より楽しいのはお弁当の交換や歌や踊りの応援合戦、紅白対抗のリレーや綱引き、玉入れです。準備期間を含めて、音楽、料理、美術など生活技術がてんこ盛りです。

この運動会は、在日の外国人労働者や難民、彼らを助けている人々、或いは経済的に厳しい子どもや被災地の人々、障がい者、地元住民やサポーターなどが集まって行いたいと考えています。

さまざまな人たちとの交点として

大地の芸術祭第1回展以降、世界各国からさまざまなジャンルの第一線の専門家が集い、3日間にわたり議論した「地域環境セミナー」をはじめ、私たちはグローバル化する世界を複眼的に見て、考えようとしてきました。それは美術が地域環境のなかにあり、社会や人々に立脚していると思うからです。

芸術祭という地域に多くの人が集い交錯する場を多種多様な人々が支えるべく、サポーター活動への参加要請を、アートフェア・大学で辻立ちでやってきました。越後妻有で「アジアフォーラム」を開催するのもその一環です。今年元旦に起きた能登半島地震でも、各地の芸術祭開催者、サポーター、アーティストが心を寄せています。

地域の文化をともに育んでいく
サポーター「こへび隊」

越後妻有および地域型芸術祭の特色は、サポーター（越後妻有では「こへび隊」）の存在です。2010年に第1回展が始まった瀬戸内国際芸術祭では、2019年にのべ8,000人のサポーターが参加し、その半数以上が外国人でした。作品をよく見てもらいたいというミッションがあり、また楽しさがあったのでしょう。彼らの多くはふるさとでこのような地域型芸術祭をやりたいといっていました。世界が未だに植民地主義的であり、地域の文化が消え、均質的な都市になっていくなかで、彼らの必死の思いをちゃんと受け止めるところが大地の芸術祭だと考えています。

地域の方とこへび隊で作品メンテナンス

地域の学生と作家による作品制作

棚田を保全するプロジェクト
まつだい棚田バンク

越後妻有に広がる日本有数の棚田を、大地の芸術祭で築かれたネットワークを駆使して、地域内外の協働で保全していくプロジェクト。《まつだい「農舞台」》の代表作品イリヤ&エミリア・カバコフ《棚田》のある田んぼや、星峠の棚田など、松代エリアの棚田を耕作しています。

Photo by Nakamura Osamu

企業が専門性を活かして協働する
オフィシャルサポーター

経営者たちがそれぞれの専門性をもって芸術祭に関わってくれているオフィシャルサポーター。棚田バンクで田植え、草刈り、収穫をするほか、自社製品のパッケージにアーティストのドローイングを使ってくれたり、参加作品に出資してくれたり、「体験格差解消プロジェクト」として首都圏の子どもたちを越後妻有に連れてきてくれたり、アプリを開発してくれたりと、さまざまなかたちで関わってくれています。

大地の芸術祭×オイシックス・ラ・大地 コラボ商品
「ほっこりおいしいお湯でたべられるごはん」

越後妻有から全国へ拡がる地域づくり
今年開催の芸術祭・アートプロジェクト

アートを媒介とした地域づくりは、大地の芸術祭に続くかたちで全国に拡がっています。第9回展と同時期に、長野県大町市と岐阜県下呂市を舞台としたふたつのプロジェクトも開催されます。

北アルプス国際芸術祭2024

会期｜2024年9月13日（金）〜11月4日（月祝）※水定休
会場｜長野県大町市
北アルプスの麓・信濃大町で、「水・木・土・空」をテーマに約35点のアート作品とパフォーマンスを展開。湖や神社仏閣、ダムなどの特色ある場所に加え、秋ならではの豊かな食もお楽しみください。

NORTHERN ALPS ART FESTIVAL
北アルプス国際芸術祭 2024

清流の国 文化探訪 南飛騨Art Discovery

会期｜2024年10月19日（土）〜11月24日（日）
会場｜岐阜県下呂市　南飛騨健康増進センター及び周辺一帯
岐阜の自然と匠、健康をテーマとした約15点のアート作品とパフォーマンス、マルシェやセミナーを開催します。会場内の民家や森のなかに展開するアートをトレッキングで巡ったあとは、下呂温泉もおすすめです。

弓指寛治《民話，バイザウェイ》プランイメージ

作品巡りの手引き

作品鑑賞パスポート／個別鑑賞券
大地の芸術祭案内所／公式アプリ
オフィシャルツアー

大地の芸術祭の作品鑑賞には作品鑑賞パスポートもしくは個別の鑑賞料が必要です。そして実際に巡るときに役立てたいのが、地域内の各地に設けられた大地の芸術祭案内所や、作品情報とアクセスを検索できる公式アプリ。さらにさまざまなオフィシャルツアーをご用意しています。広大なエリアに点在する作品をガイド付きで巡るバスツアーは、夏から秋にかけ移ろいゆく越後妻有の風景や、芸術祭でしか味わえないランチも堪能できます。新幹線が停まる越後湯沢駅発着のツアーもあるので、東京からの日帰り参加も可能です！

ここではそんな作品巡りのお役立ち情報をまとめました。エリア間の移動時間がわかる「移動早見マップ」（P022）もあわせてご活用ください。

作品鑑賞パスポート

大地の芸術祭巡りに欠かせない、作品鑑賞パスポート（以降「パスポート」）。会期中に公開作品を各1回鑑賞でき、いくつかの拠点施設では2回目までパスポートで入館が可能です。地域内の飲食店や温泉などで使える特典も盛りだくさん。作品だけでなく、越後妻有地域全体を楽しむための必需品です。

※イメージ

詳細はこちら

区分 \ 料金	前売 （6/10〜7/12）	会期中 （7/13〜11/10）
一 般	3,500円	4,500円
小中高	1,000円	2,000円
小学生未満	無料	

※小学生未満には、各大地の芸術祭案内所および、作品受付にて「こどもパスポート」（スタンプラリー用）を無料配布
※6/9までは現地販売所でもパスポート引換券を前売料金で販売
※「田中泯『雪の良寛』鑑賞付き2024作品鑑賞パスポート」引換券をおもちの方は、6/10以降に実券とお引き換えください

概要

○有効期間｜2024年7月13日（土）〜11月10日（日）
［大地の芸術祭 越後妻有 アートトリエンナーレ2024］開催期間中のみ有効

○パスポート1冊につき1人のみ有効

○パスポートの再発行、払い戻しは不可

○1作品につき1回のみ鑑賞可※2回目以降通常料金

○以下の施設は2回入館可※3回目以降通常料金
- 越後妻有里山現代美術館 MonET
- うぶすなの家
- 鉢&田島征三 絵本と木の実の美術館
- 磯辺行久記念 越後妻有清津倉庫美術館［SoKo］
- まつだい「農舞台」
- 奴奈川キャンパス
- 越後妻有「上郷クローブ座」
- 香港ハウス
- アケヤマ ー秋山郷立大赤沢小学校ー

○以下の作品はパスポート提示で鑑賞料割引
※割引は1回限り有効
- Tunnel of Light（清津峡渓谷トンネル）
- JIKU #013 HOKUHOKU-LINE（北越急行）
- 越後松之山「森の学校」キョロロ

※有料イベント作品は別料金、パスポート提示で割引あり

購入方法

作品鑑賞パスポートは以下のWebサイト、施設で購入できます。

引換券

○Webサイトでのオンライン購入
- asoview!（アソビュー!）
- e＋（イープラス）
- にいがた観光ナビ

○全国のコンビニエンスストア
- JTBレジャーチケット
  取り扱い＝セブン-イレブン、ローソン、ファミリーマート、ミニストップ

★Web・コンビニでの購入は、芸術祭案内所（P016参照）にて実券と要引換

実券

○大地の芸術祭施設での購入
- 各大地の芸術祭案内所（P016参照）
- 越後妻有里山現代美術館 MonET、まつだい「農舞台」などの主要施設
- 各作品受付

○NEXCO東日本の一部のサービスエリア・パーキングエリア

○そのほか多数施設（詳細は公式HPを参照）

個別鑑賞券

各施設では、パスポートを購入せずに個別鑑賞券にて作品を鑑賞することも可能です。チケットにはさまざまな越後妻有の生活文化や風習が描かれています。

※イメージ

大地の芸術祭案内所

作品鑑賞パスポートや芸術祭の最新情報を入手することが可能です。「どの作品から巡るとよいか?」など、芸術祭ならではの情報をお求めの方は、ぜひお立ち寄りください。

エリア	場所	営業日	営業時間	カード決済
十日町	十日町市総合観光案内所（十日町駅西口内） 十日町市旭町251-17	毎日	9:00-17:00	○
	MonET回廊特設案内所 十日町市本町6の1丁目71-2	火水以外	9:30-18:00 （10月以降は9:30-17:00）	○
	下条案内所（神明水辺公園） 十日町市下条4丁目1276番地	火水以外	10:00-17:00 （10月以降は10:00-16:00）	○
川西	ナカゴグリーンパーク案内所 十日町市上野甲2924-28	7/13-10/6 火水以外	10:00-17:00 （10月以降は10:00-16:00）	○
中里	清津峡観光案内所 十日町市小出癸2130	毎日	9:00-17:00	○
松代	松代・松之山温泉観光案内所（まつだい駅内） 十日町市松代3816-1	毎日	9:00-17:00	○
	まつだい「農舞台」案内所 十日町市松代3743-1	火水以外	9:30-18:00 （10月以降は9:30-17:00）	○
松之山	「森の学校」キョロロ案内所 十日町市松之山松口1712-2	火水以外 ※施設・作品は水も公開	9:00-17:00	×
津南	津南案内所（旧大口百貨店内） 中魚沼郡津南町下船渡戊569	火水以外	10:00-17:00 （10月以降は10:00-16:00）	×
南魚沼市	道の駅 南魚沼案内所（今泉記念館内） 南魚沼市下一日市855	毎日	9:00-17:00	×
湯沢町	越後湯沢駅案内所 南魚沼郡湯沢町大字湯沢主水2427-1	火水以外	9:30-17:00	○

「大地の芸術祭」公式アプリ

「大地の芸術祭」を巡る旅がより充実するアプリ。※電子スタンプラリー機能は会期中のみ有効です

QRコードから
アプリを
ダウンロードしよう

iOS

Android

作品を探す・知る
気になる作品を見つけたら「お気に入り」登録でマイリストに。

電子スタンプを集める
お米のかたちをした電子スタンプを集めていくと、画面上のエリアごとに稲が成長!

作品までの行き方を調べる
作品の位置がGoogleマップと連動し、作品までの行き方を調べることもできる。

※作品・施設などの入館には、別途パスポートまたは個別鑑賞券の購入が必要です

オフィシャルツアー

大地の芸術祭の作品巡りには、オフィシャルツアーの利用がおすすめ。滞在プランによりお好きなコースを選択し、QRコードよりオンラインにてお申し込みください。

Photo by Nakamura Osamu

ツアー基本情報

ガイド&ランチ付きの1日コースと、午後に運行する移動車両のみの半日コースをご用意。

1日コース	一般 13,000円（前売12,000円） 小中高 11,000円（前売10,000円）	（バス代、ガイド代、昼食代、施設入館料、消費税込） ※ツアーの参加には別途パスポートが必要
半日コース	6,000円（前売 5,000円）	（バス代、消費税込）※ツアーの参加には別途パスポート または個別鑑賞券の購入が必要

■最少催行人数：1名
■交通手段：貸切バス（南越後観光バス株式会社、森宮交通株式会社、東頸バス株式会社）
■申込〆切：運行日前日18:00
■旅行企画・実施：NPO法人越後妻有里山協働機構　新潟県十日町市松代3743-1
　新潟県知事登録旅行業地域-440号　（一社）全国旅行業協会正会員
■備考：添乗員は同行しません。ツアー申込ページに記載の旅行条件書をご確認の上、お申し込みください。
■問い合わせ：025-761-7767（NPO法人越後妻有里山協働機構）

ツアー一覧

曜日別ツアー運行一覧

毎日運行のコースと曜日ごとに運行のコースはそれぞれ異なるエリア・作品を巡るので、各コースを組み合わせて全エリアを網羅することができます。

コース名	種類	発／着	木	金	土	日	月
A｜エチゴツマリコース	1日	越後湯沢駅 9:30／18:00	●	●	●	●	●
B｜十日町・川西コース	1日	十日町駅 9:30／17:00			●		●
C｜中里・津南コース	1日	越後湯沢駅 9:30／17:00		●		●	
D｜松之山コース	半日	まつだい駅 12:00／16:30				●	●
E｜松代コース	半日	まつだい駅 12:00／16:30			●	●	
テーマ型コース	1日	コースによる	特定日に運行（公式HPをご確認ください）				

※臨時運休
エチゴツマリコース：9/7（土）
十日町・川西コース、中里・津南コース：テーマ型コース運行日

1日コース

Photo by Nakamura Osamu

1日コースは大地の芸術祭オフィシャルガイドが同行します。移動中のバス車内や、作品に到着してからのご案内もお任せください。芸術祭の取り組みや地域について、作品の背景などをお話します。

A：エチゴツマリコース

話題の新作と主要施設をひと巡り！
芸術祭の全貌がわかるダイジェストコース

芸術祭を初めて訪れる方に特におすすめしたい、越後妻有6エリアすべてを巡るダイジェストツアー。新作や企画展を展開する拠点施設を中心に、大地の芸術祭の軌跡をたどります。オフィシャルツアーはランチもお楽しみのひとつ。このコースでは、松代エリア《奴奈川キャンパス》内のTSUMARI KITCHENにて、ツアー限定の米澤文雄シェフ監修による新メニューをご堪能いただけます。最終立ち寄り場所《越後妻有里山現代美術館 MonET》で下車して、温泉に入ったり、ライトアップされた夜の作品鑑賞もおすすめです。

[ランチ] TSUMARI KITCHEN／P126

越後妻有里山現代美術館 MonET／P033

最後の教室／P098

Tunnel of Light／P065

絵本と木の実の美術館／P046

まつだい「農舞台」／P071

そのほかの立ち寄り作品
- ●奴奈川キャンパス P084
- ●まつだい郷土資料館 P074
- ●たくさんの失われた窓のために P063
- ●別の場所から来た物 P107

詳細はこちら

Photo Credit: ①Yamada Tsutomu ②Kioku Keizo ③T.Kuratani ④⑥Nakamura Osamu ⑤Ishizuka Gentaro

B：十日町・川西コース

里山の魅力が詰まった北側エリアの作品・施設を周遊！

越後妻有の北側、信濃川を挟んだ十日町・川西ふたつのエリアを巡るコース。山から山を移動する中で集落ごとに異なる暮らしの様子や、河岸段丘によってつくられた地形がありありとわかるのも、魅力のひとつです。ランチは《うぶすなの家》で。懐かしい空間と、集落のお母さんが丹精込めてつくる料理でおなかも心もいっぱいに。運がよければ、名物の十日町小唄も聴けるかもしれません。

[ランチ]うぶすなの家／P125

Kiss & Goodbye／P047

三ツ山のスフィンクス／P059

そのほかの立ち寄り作品

- Nakago Wonder Land／P051（または光の館／P056）
- 時の回廊 十日町高倉博物館／P060
- 人間エンジン／P045
- 枯木又プロジェクト／P029
- 妻有田中文男文庫／P028
- キューブ／P048
- HERE-UPON ここにおいて 依り代／P027
- MAN ROCK V／P027

Photo Credit: ①② Nakamura Osamu ③ Ishizuka Gentaro

詳細はこちら

C：中里・津南コース

越後妻有の南端の地域文化とアートの、濃厚な共演を

絶好の眺望の「十二峠」の先に広がる中里エリアと、長野県との県境に接する津南エリアを巡ります。中でも見どころは、苗場山麓ジオパークに属する秘境・秋山郷にある大赤沢集落。ダイナミックな自然のありようと、地域に根づく色濃い歴史を感じられるでしょう。ランチは、パフォーミングアーツの拠点《越後妻有「上郷クローブ座」》のレストランで。演劇仕立てでふるまわれる料理は、素材を活かした味わいに定評があります。かたくりの宿や津南町で途中下車しての宿泊も、またとない楽しみになりそうです。

[ランチ]越後妻有「上郷クローブ座」／P126

アケヤマ ー秋山郷立大赤沢小学校ー／P111

カクラ・クルクル・アット・ツマリ／P066

そのほかの立ち寄り作品

- ポチョムキン／P063
- 磯辺行久記念 越後妻有清津倉庫美術館［SoKo］／P064
- 香港ハウス／P110
- Air for Everyone／P116
- 大割野商店街／P105
- 妻有双六（かたくりの宿）／P116

Photo Credit:①② Yanagi Ayumi ③ Miyamoto Takenori＋Seno Hiromi

詳細はこちら

テーマ型コース

レギュラーで走るAコースのほかに、イベントやパフォーマンス、限定公開の作品鑑賞などを組み込んだテーマ型のツアーも運行予定です。詳細は、公式HPにて随時公開します。なお、土日にテーマ型ツアーを運行する場合は、Bコース、Cコースは運行しません。

Photo by Nakamura Osamu

Photo by Nakamura Osamu

半日コース

12時に出発する、ガイドがつかないライトなコース。ホテルや旅館で朝をゆっくり過ごしたり、まつだい「農舞台」フィールドミュージアムをしっかり見学したりしたあとからツアーを楽しめます。まつだい駅を起点にしてプランを組み立てるのがオススメです。

詳細はこちら

D：松之山コース　風光明媚な「松之山」の地域と作品を満喫！

夢の家／P100

Photo by Nakamura Osamu

in and out／P098

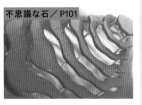

不思議な石／P101

そのほかの立ち寄り作品・スポット
- 越後松之山「森の学校」キョロロ／P095 または美人林
- 未定（中﨑透）／P096
- 家の記憶／P098
- ブラックシンボル／P096
- オーストラリア・ハウス／P099

E：松代コース　「松代」で味わう里山の棚田とアート

空知らぬ雪／P088

脱皮する家／P088

妻有アーカイブセンター／P090

Photo by Kioku Keizo

そのほかの立ち寄り作品・スポット
- 華園（中国ハウス）／P083
- 明後日新聞社文化事業部／P091
- 静寂あるいは喧騒の中で／手旗信号の庭／P092
- ブランコの家／P092
- BankART妻有2024「創造的修復と交信」／P092
- 黄金の遊戯場／P081
- 星峠の棚田

作品ガイドの見方

① D184　屋外

パスカル・マルティン・タイユー（カメルーン／ベルギー、フランス）
Pascale Marthine Tayou
リバース・シティー

④ ［制作年］2009　［MAP］P070/2-B
［場所］まつだい「農舞台」
フィールドミュージアム

⑤

⑥

① 作品番号
番号の冒頭にあるアルファベットは、越後妻有内の各エリアを示します。※番号の先頭に★が付くものは、施設などの代表番号です

T：十日町　K：川西　N：中里
D：松代　Y：松之山　M：津南

② アイコン

新作 新展開	第9回展で新規制作、アップデートされる作品
屋外	屋外にて公開している作品
夜間のみ	夜間のみ鑑賞可能な作品
点灯	夜間の鑑賞も推奨される作品
ツアー	オフィシャルツアー立ち寄りがある作品
飲食	ランチ・カフェを楽しめる作品
宿泊	宿泊も可能な作品

③ 作家名（出身地／拠点地）
作品名

④ 基本情報
［公開日］
記載がない場合は、7/13（土）〜11/10（日）※火水定休

［時間］
記載がない施設内作品は、10:00〜17:00
（※10月以降10:00〜16:00）

［MAP］MAPの掲載ページを示します。※施設内作品は、代表番号（★印）のみがMAP上に示されています

［個別鑑賞料］作品ごとの個別鑑賞料を示します。パスポートをお持ちの場合は、各作品1回鑑賞可能です。※一部割引のみの作品あり

⑤ ベースカラー
同じ施設、プロジェクト、企画展であることを示します。

⑥ ベースドット
同じエリア・フィールドにあることを示します。

越後妻有地域内の移動早見マップ

022

市街地、郊外、里山へと、芸術祭でも特に広域にわたる十日町エリア。JR飯山線と信濃川の東側には、《うぶすなの家》や、長期的に活動する《枯木又プロジェクト》など、端から端まで作品が点在しています。西部には《鉢&田島征三 絵本と木の実の美術館》といった見どころも。越後妻有の玄関口である十日町駅では《喫茶TURN》《10th DAY MARKET》がお出迎えします。街中の飲食店や個性豊かなお店を楽しみながら、芸術祭の拠点施設《越後妻有里山現代美術館 MonET》を目指しましょう。JR飯山線の各駅にも作品が展開しているので、列車でもじっくり味わってみたいところです。

TOKAMACHI AREA

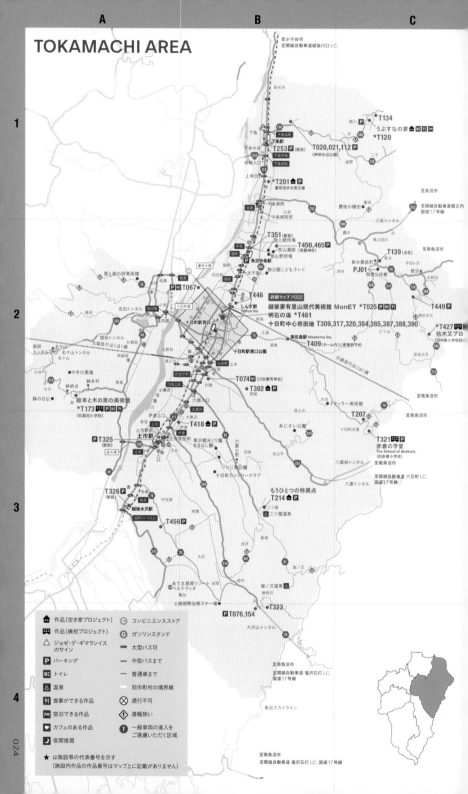

至小千谷市
至関越自動車道越後川口 I.C.

A | **B** | **C**

下条
下条中央
下条駅 **T253** (駅前)
下条栄町
上新田入口
T020,021,112 (榊神水辺公園)
うぶすなの家 **T134** 🏠🍴📷
★**T120**

★**T201** 🏠🅿
妻有中文双文庫

至魚沼市
至関越自動車道堀之内
国道17号線

慶地の棚田
三坂トンネル

T351 (駅前) 陸上競技場
笹山遺跡
笹山野球場
桔公園こどもランド
T450,465 (高龗神社)
T139 (森下)
新水農協会社
PJ01 飛渡公民館
T449 🅿

星と森の詩美術館
T067 🌊📷
越後妻有里山現代美術館 MonET ★**T025** 🅿🍴
明石の湯 ★**T461**
十日町中心市街地 **T309,317,320,384,385,387,388,390**
詳細マップ P032
T446
しんざ駅 Shinza Sta.
T427 枯木又プロ

十日町駅西口
十日町駅東口公園
美佐島駅 Misashima Sta.
T409 (ホーム内)

絵本と木の実の美術館
★**T173** 🏫🅿🌊🍴
(旧真田小学校)

T074 🍴 (川治妻有神社)
T392

ミティラー美術館
T207

土市駅前 **T325** (駅前)
土市駅
T418 🏠🅿

T321 🏫
赤倉の学堂
The School of Akakura
(旧赤倉小学校)

至関越自動車道 六日町 I.C.
国道17号線
八箇トンネル

T326 (駅前)
越後水沢駅

T456 🅿

もうひとつの特異点
T214
二ツ屋温泉

T323

T076,154
大沢山トンネル

凡例

🏠	作品(空き家プロジェクト)	Ⓒ	コンビニエンスストア
🏫	作品(廃校プロジェクト)	Ⓖ	ガソリンスタンド
△	ジョゼ・デ・ギマランイスのサイン	━	大型バス可
🅿	パーキング	━	中型バスまで
🚻	トイレ	━	普通車まで
🌊	温泉	▬	旧市町村の境界線
🍴	食事ができる作品	⊗	通行不可
🛏	宿泊できる作品	◇	道幅狭い
☕	カフェのある作品	❗	一般車両の進入をご遠慮いただく区域
🌙	夜間推奨		

★ は施設等の代表番号を示す
(施設内作品の作品番号はマップ上に記載がありません)

至南魚沼市
至関越自動車道 塩沢石打 I.C.
国道17号線
魚沼スカイライン

至南魚沼市
至関越自動車道 塩沢石打 I.C. 国道17号線

★T120 飲食 宿泊 ツアーB

改修設計＝安藤邦廣
監修＝入澤美時（日本）
Renovation designed
by Ando Kunihiro
Supervised by Irisawa Yoshitoki

うぶすなの家

[制作年] 2006　[MAP] P024/1-C
[場所] 十日町市東下組3110
[時間] 11:00-16:00
[個別鑑賞料] 一般400円、小中学生200円
※レストランの利用には入館料が必要

築100年を迎える茅葺屋根の古民家をやきものミュージアムとして再生。1階は地元の食材をふんだんに使い、お母さんたちがもてなすレストラン。（ランチ・宿泊の詳細はP125、P127）

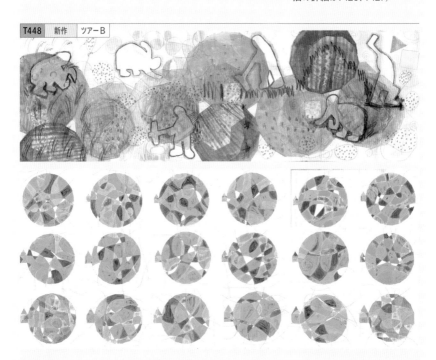

T448 新作 ツアーB

牛島智子（日本）
Ushijima Tomoko

つキかガみ巡ル月

[制作年] 2024
[MAP] P024/1-C（★T120）
[場所] うぶすなの家

古民家に輝き広がる、色とかたち
「階下の人の声、オレンジ色に染める明かり、ひんやりしてきた外気。ミクロにもマクロにも身体は交信しながら守られているような安心感、そのような展示にしたい」（作家コメント）。うぶすなの家を舞台に、和紙を使った平面作品を展開する。それは三角から始まり正多角形が増殖していくような空間表現。自然や人の営みへの興味を通じ、色彩豊かな作品を展開する作家の試みは、この家屋でいかに響くのだろうか。

うぶすなの家

T121 ツアーB

澤清嗣（日本）
Sawa Kiyotsugu

風呂

[制作年] 2006
[MAP] P024/1-C（★T120）
[場所] うぶすなの家

T122 ツアーB

鈴木五郎（日本）
Suzuki Goro

かまど

[制作年] 2006
[MAP] P024/1-C（★T120）
[場所] うぶすなの家

T123 ツアーB

中村卓夫（日本）
Nakamura Takuo

表面波／囲炉裏

[制作年] 2006
[MAP] P024/1-C（★T120）
[場所] うぶすなの家

T124 ツアーB

吉川水城（日本）
Yoshikawa Mizuki

洗面台

[制作年] 2006
[MAP] P024/1-C（★T120）
[場所] うぶすなの家

T134 屋外

古郡弘（日本）
Furugori Hiroshi

胞衣—みしゃぐち

[制作年] 2006　[MAP] P024/1-C
[場所] 願入

神明水辺公園

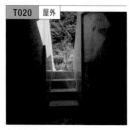

T020 屋外

伊藤嘉朗（日本）
Ito Yoshiaki

小さな家
—聞き忘れのないように—

[制作年] 2000　[MAP] P024/1-B
[場所] 神明水辺公園

T021 屋外

荻野弘一（日本）
Ogino Koichi

石の魚たち

[制作年] 2000　[MAP] P024/1-B
[場所] 神明水辺公園

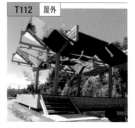

T112 屋外

ドミニク・ペロー（フランス）
Dominique Perrault

バタフライパビリオン

[制作年] 2006　[MAP] P024/1-B
[場所] 神明水辺公園

T465	新作	屋外	ツアーB

景山健（日本）
Kageyama Ken

HERE-UPON
ここにおいて 依り代

[制作年] 2024
[MAP] P024/2-B
[場所] 笹山高霑神社

由縁ある神社の、
若い杉の木が見せるものは
「ここに集うさまざまなものと共有できる『しるし』を界隈で得た自然物でかたちづくり、その佇まいに耳をすませ感じられるそれぞれの『間』をつくる」（作家コメント）
"創作を展開する機会を得た唯一そ の場で成し得る出来事"を作品と位置付けた試みを展開する中、コロナが世界で蔓延した年に高霑神社境内に芽生えた杉の幼木。その成長を見つめていくかかわりを作品化する試み。

T450	新作	屋外	ツアーB

アントニー・ゴームリー（イギリス）
Antony Gormley

MAN ROCK V

[制作年] 2024
[MAP] P024/2-B
[場所] 笹山高霑神社

《MAN ROCK I》1982

生物と物質の関係とは?
空間と人の身体の関係性をテーマにした彫刻作品で広くしられる作家の、1979年から続くシリーズの新作。「ミケランジェロがハンマーと鑿で大理石の塊に肉体を彫り込んだのは、精神と物質とのせめぎ合いを表現するためであった」（作家コメント）と、人が自然を造形しようとする様を考える作家。本作ではその関係性に反し、自然物である石の造形に寄り添うように、抱きしめる人の身体が刻まれている。それは、いわばドローイングのような連続した一本の線ともいえる。作品は木々、山草、石の間に置かれ、やがて自然へと還る。人類と地球との依存関係、ひいてはこの惑星に生き、この環境をつくる者としての私たちの役割について問いかける。

関連プロジェクト

PJ01 新作 屋外

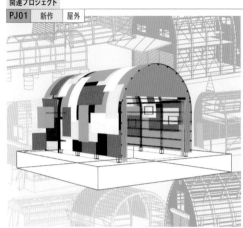

北雄介＋長岡造形大学
北研究室(日本)
Kita Yusuke +Kita lab., Nagaoka Institute of Design

カマボコレクション

［制作年］2024　［MAP］P024/2-C
［場所］飛渡公民館

建物が醸す、人と場所の記憶

「世界は、そのままで面白い。その面白さをいかに切り出し、呈示するか」(作家コメント)。作家は、世界各地の人の営みの様相を研究し続けている。本作は、研究室の学生とともに行うプロジェクト。さまざまな特徴をもつ十日町にあるカマボコ型の建物のリサーチを通じ、日常風景を作品化する。

★T201 ツアーB

改修設計＝山本想太郎(日本)
Renovation designed by Yamamoto Sotaro

妻有田中文男文庫

［制作年］2009　［MAP］P024/1-B
［場所］十日町市下条1-324
（旧上新田公民館）
［個別鑑賞料］一般600円、小中学生300円

上新田の旧公民館を改修し、2009年にオープンした展示施設。木造民家研究で知られる棟梁・田中文男の寄贈書が集まっている。

T200 ツアーB

カン・アイラン[姜愛蘭](韓国)
Kang Airan

天の光、知の光—Ⅱ
［制作年］2009
［MAP］P024/1-B(★T201)
［場所］妻有田中文男文庫

T428 ツアーB

河口龍夫(日本)
Kawaguchi Tatsuo

農具の時間
［制作年］2022
［MAP］P024/1-B(★T201)
［場所］妻有田中文男文庫

T253 屋外

みかんぐみ＋神奈川大学
曽我部研究室(日本)
MIKAN + Sogabe Lab. Kanagawa University

下条茅葺きの塔
［制作年］2012　［MAP］P024/1-B
［場所］下条駅

T139 屋外

開発好明(日本)
Kaihatsu Yoshiaki

かまぼこフェイス
［制作年］2006　［MAP］P024/2-C
［場所］新水各家のかまぼこ倉庫
※敷地内には入れません。外からご鑑賞ください

T351 屋外

目[mé](日本)
目[mé]

repetitive objects
［制作年］2018　［MAP］P024/2-B
［場所］魚沼中条駅

★T427 ツアーB
枯木又プロジェクト

[制作年] 2009〜　[MAP] P024/2-C
[場所] 十日町市中条枯木又（旧中条小学校枯木又分校）
[個別鑑賞料] 一般600円、小中学生300円
企画協力：吉岡恵美子

十日町の東端に位置する廃校を中心に、吉野央子率いる京都精華大学の有志が2009年に始動したプロジェクト。人と自然・地域との共存といったテーマのもと作家が集い、継続して展開している。

| T268 | 新展開 | 屋外 |

内田晴之 (日本)
Uchida Haruyuki
大地の記憶

[制作年] 2009〜　[MAP] P024/2-C
[場所] 旧中条小学校枯木又分校

枯木又で営まれる、15年目のビオトープ
1970年代より活動する作家の、地域の自然や文化をテーマにした作品のひとつ。2009年より円形の畦（車田）をつくり植生を整え、ビオトープとして営んでいる。2018年からひき続き、地域の有志とともに自然農法での稲作を行う。

| T452 | 新作 | 屋外 | ツアーB |

吉野央子 (日本)
Yoshino Ohji
悠々自適

[制作年] 2024
[MAP] P024/2-C（★T427）
[場所] 旧中条小学校枯木又分校

集落の営みを見守るシンボル
枯木又プロジェクト立ち上げより参加する彫刻家による、土地の営みをテーマにした新作。特に雪深い枯木又では、家屋の棟（頂上部分）に立ち雪を下ろす人の姿は珍しくない。重い雨や雪から人々の暮らしを守ってきた先人の象徴として、集落から家屋の絶えることのないよう祈念する人物彫刻になるという。

| T453 | 新作 | ツアーB |

金沢寿美（日本）
Kanazawa Sumi

新聞紙のドローイング

［制作年］2024　［MAP］P024/2-C（★T427）
［場所］旧中条小学校枯木又分校

情報の器が見せる、ひとつの銀河
膨大な紙面を黒鉛で塗りつぶしながら残される言葉
や、イメージ群。それは作家の代表作としてしられる
「新聞紙のドローイング」を用いたインスタレーショ
ン作品。「壮大な時間を感じさせる豊かな場所で、
自分なりの時間の銀河を表現したい」（作家コメント）

| T454 | 新作 | ツアーB |

衣川泰典（日本）
Kinukawa Yasunori

石化する風景

［制作年］2024　［MAP］P024/2-C（★T427）
［場所］旧中条小学校枯木又分校

この土地の天然石と制作の記憶
天然石灰岩を使い版画を手がける作家が、新潟県
で採集した石灰岩とそれらを用いた石版画作品を
展示。描かれるモチーフとなっているのは、石があっ
た場所や枯木又の風景や植物。制作にまつわる
風景を撮った映像作品もあわせて展示される。

T455 新作 ツアーB

Liisa（中国／日本）
Liisa

記憶のラビリンス

［制作年］2024　［MAP］P024/2-C（★T427）
［場所］旧中条小学校枯木又分校

あなたにとっての「小学校」は？
日中英伊のルーツをもつ作家は、横断的な視点とマンガの技法を活かした、没入感のある表現を追求している。本作は「小学校」をモチーフに、自身や人の記憶を題材に制作。布や紙に描いた絵、家具などのオブジェからなるインスタレーションとなる。

T449 新作

磯辺行久（日本）
Isobe Yukihisa

葬送は分け隔てのない越後妻有に特有な"和み"の文化の証であった

［制作年］2024　［MAP］P024/2-C　［場所］旧小貫集落

住民発案の企画を作家が具現化　かつての小貫に見る
"休村"中の小貫集落（中条・飛渡）を舞台に、文化人類学的手法で往時の社会生活を再構築するプロジェクトの第2弾。元住民（庭野三省氏、庭野武一氏）の全面協力のもと、前回展の《昔はみんなたのしかった》で再現した回廊型集落を一部拡張し、集落を挙げて執り行った往時の「葬送」や「若者の楽しみ」について考察する。

詳細マップ

越後妻有里山現代美術館 MonET、十日町中心市街地

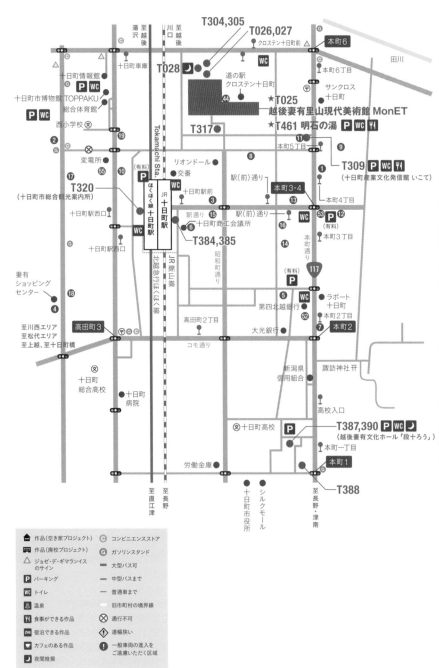

T304,305
T026,027
★クロステン十日町前
本町6
田川
T028
道の駅
クロステン十日町
本町6丁目
十日町車庫
十日町情報館
TOPPAKU
十日町市博物館
総合体育館
西小学校
★T025
越後妻有里山現代美術館 MonET
★T461 明石の湯
サンクロス
十日町
T317
本町5丁目
リオンドール
交番
駅（前）通り
本町3・4
T320
（十日町市総合観光案内所）
十日町駅西口
十日町駅前
T309
（十日町産業文化発信館 いこて）
本町4丁目
駅（前）通り
本町3丁目
駅通り
十日町駅
十日町商工会議所
T384,385
本町通り
妻有
ショッピング
センター
本町2丁目
ラポート
十日町
第四北越銀行
本町2
高田町3
大光銀行
コモ通り
十日町
総合高校
高田町2丁目
十日町
病院
新潟県
信用組合
諏訪神社
高校入口
十日町高校
T387,390
（越後妻有文化ホール「段十ろう」）
本町一丁目
本町1
労働金庫
T388
至直江津
至長野
十日町市役所
シルクモール
至長野・津南

- 🏠 作品（空き家プロジェクト）
- 🏫 作品（廃校プロジェクト）
- △ ジョゼ・デ・ギマランイス のサイン
- P パーキング
- WC トイレ
- ♨ 温泉
- 🍴 食事ができる作品
- 🛏 宿泊できる作品
- ☕ カフェのある作品
- 🌙 夜間推奨

- Ⓒ コンビニエンスストア
- Ⓖ ガソリンスタンド
- ━ 大型バス可
- ━ 中型バスまで
- ━ 普通車まで
- ━ 旧市町村の境界線
- ⊗ 通行不可
- ⚠ 道幅狭い
- ❗ 一般車両の進入を ご遠慮いただく区域

★T025 飲食 ツアーA

設計＝原広司＋アトリエ・ファイ建築研究所（日本）
Architectural Design by Hara Hiroshi+ATELIERφ

越後妻有里山現代美術館 MonET（モネ）

[制作年] 2003・2012・2021 ［MAP］P024/2-B, P032
[場所] 十日町市本町六の1丁目71-2 越後妻有交流館
[時間] 9:30-18:00（最終入館17:30）※7/13（土）〜9/30（月）の土
日祝、8/15（木）、16（金）は9:30-20:00（最終入館19:30）
[個別鑑賞料] 一般1,500円、小中学生800円
[TEL] 025-761-7766
（ランチ・カフェの詳細は P124）

十日町エリアの顔といえる、越後妻有を代表する美術館。2003年に「越後妻有交流館・キナーレ」として誕生し、2012年には、「越後妻有里山現代美術館［キナーレ］」に。2021年の2度目の改修・改名で、中庭の吹き抜けが印象的な美術館 MonET としてリニューアル。企画展示室やシアタールームを併設している。

T458 新作 ツアーA

卒業制作《さまよえる星》1956-57

イリヤ・カバコフ
（旧ソビエト連邦／アメリカ）
Ilya Kabakov

知られざるカバコフ
── 生きのびるためのアート

[制作年] 2024
[MAP] P024/2-B, P032（★T025）
[場所] MonET 館内

70年におよぶドローイングを通じ作家の思想をたどる
旧ソ連（現ウクライナ）出身でロシアにも長年暮らし、2023年に没したイリヤ・カバコフの創作の軌跡をたどる展示。大地の芸術祭にも数多くの作品を残した作家だが、今回はドローイングを中心に展開、世界でも初公開となる1950年代の卒業制作も含まれる。過去のモノクローム作品に新たな描写を加えた晩年作も発表する。
キュレーター：鴻野わか菜　協力：エミリア・カバコフ

033

| T459 | 新作 | ツアーA |

ニキータ・カダン (ウクライナ)
Nikita Kadan

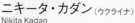

ニキータ・カダン個展《影・旗・衛星・通路》

[制作年] 2024
[MAP] P024/2-B, P032（★T025）
[場所] MonET 館内
キュレーター：鴻野わか菜

人と自然、戦争と平和……ウクライナから"今"を問う作品群

戦禍にあるウクライナにて2022年以来描き続ける連作ドローイング《大地の影》や、ミサイルで破壊された屋根の金属と越後妻有の石を用いた彫刻作品《ホストメリの彫刻》などを展示。そこには、人間と大地のつながりや、社会の状況と人の関係といったテーマが描き出される。そうした、ウクライナを代表するコンテンポラリー・アーティストの近作を展示する。

◎**ウクライナウィーク** [開催日] 7/12（金）～21（日）※火水定休
ニキータ・カダンによる作品公開に加え、ウクライナの文学や食が楽しめる1週間限定の特別プログラム。詳細は公式HPをご覧ください。

| T463 | 新作 | ツアーA |

ウクライナのアート・フィルムの現在

[MAP] P024/2-B, P032（★T025） [場所] MonET 館内 MonETシアター
監修：ニキータ・カダン　日本語字幕：梶山祐治　※上映時間はHPをご覧ください

《洪水》2022 (11分46秒)

ニキータ・カダン、ロマン・ヒメイ、ヤレマ・マラシチュク、ハリー・クラエヴェツ

瞑想にいざなうように、水中の映像や、水の音がゆらめく。洪水というモチーフに、文明のあり方や人間の存在についての哲学的な問いを重ねた作品。

《バーミンガムの装飾II》2013 (1時間27分16秒)

ユーリー・レイデルマン、アンドリー・シルヴェストロフ
ロシア、日本、ジョージア、フィンランドなど世界各地で撮影された作品。詩や芸術を巡る断章の映像が、まるでオーナメントのように連なる。

《The Lemberg Machine》2023 (1時間2分)

ダナ・カヴェリナ
第二次世界大戦中のリヴィウにおけるユダヤ人迫害を描いた書籍『The Janowska road』（レオン・ウェルス）をもとに、生き残った人々の証言を人形劇などで表現する。

T026 屋外 ツアーA

星野健司 (日本)
Hoshino Kenji

火を護る螺旋の蛇

[制作年] 2003
[MAP] P024/2-B, P032 (★T025)
[場所] MonET 外構

T027 屋外 ツアーA

郷晃 (日本)
Go Akira

シルクの水脈

[制作年] 2003
[MAP] P024/2-B, P032 (★T025)
[場所] MonET 外構

T028 屋外 夜間 ツアーA

スティーヴン・アントナコス
(ギリシャ／アメリカ)
Stephen Antonakos

3つの門のためのネオン

[制作年] 2003
[MAP] P024/2-B, P032 (★T025)
[場所] MonET 外構

T304 屋外 ツアーA

開発好明 (日本)
Kaihatsu Yoshiaki

モグラTV

[制作年] 2015 [MAP] P024/2-B, P032 (★T025)
[場所] MonET 外構
[生配信日] 7/13(土), 14(日), 8/19(月)
　　　そのほかの生配信日は公式HPを参照

T305 屋外 ツアーA

原広司＋アトリエ・ファイ
建築研究所 (日本)
Hara Hiroshi+ATELIERφ

Three Travellers

[制作年] 2015
[MAP] P024/2-B, P032 (★T025)
[場所] MonET 外構

T421 屋外 ツアーA

淺井裕介 (日本)
Asai Yusuke

physis

[制作年] 2022
[MAP] P024/2-B, P032 (★T025)
[場所] MonET 外壁

T352 ツアーA

レアンドロ・エルリッヒ
(アルゼンチン)
Leandro Erlich

Palimpsest：空の池

[制作年] 2018
[MAP] P024/2-B, P032 (★T025)
[場所] MonET 池

T221 ツアーA

ゲルダ・シュタイナー＆ヨル
ク・レンツリンガー (スイス)
Gerda Steiner & Jörg Lenzlinger

ゴースト・サテライト

[制作年] 2012
[MAP] P024/2-B, P032 (★T025)
[場所] MonET 館内

T222 ツアーA

マッシモ・バルトリーニ
feat. ロレンツォ・ビニ（イタリア）
Massimo Bartolini feat. Lorenzo Bini

Two River

［制作年］2012
［MAP］P024/2-B、P032（★T025）
［場所］MonET 館内

T226 ツアーA

カールステン・ニコライ（ドイツ）
Carsten Nicolai

Wellenwanne LFO

［制作年］2012
［MAP］P024/2-B、P032（★T025）
［場所］MonET 館内

T227 ツアーA

カルロス・ガライコア（キューバ）
Carlos Garaicoa

浮遊

［制作年］2012
［MAP］P024/2-B、P032（★T025）
［場所］MonET 館内

T230 ツアーA

クワクボリョウタ（日本）
Kuwakubo Ryota

LOST #6

［制作年］2012
［MAP］P024/2-B、P032（★T025）
［場所］MonET 館内

T280 ツアーA
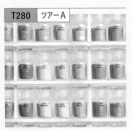

栗田宏一（日本）
Kurita Koichi

ソイル・ライブラリー／新潟

［制作年］2012
［MAP］P024/2-B、P032（★T025）
［場所］MonET 館内

T411 ツアーA

ニコラ・ダロ（フランス）
Nicolas Darrot

エアリエル

［制作年］2021
［MAP］P024/2-B、P032（★T025）
［場所］MonET 館内

T412 ツアーA

目［mé］（日本）
目[mé]

movements

［制作年］2021
［MAP］P024/2-B、P032（★T025）
［場所］MonET 館内

T413 ツアーA
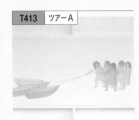

中谷ミチコ（日本）
Nakatani Michiko

遠方の声

［制作年］2021
［MAP］P024/2-B、P032（★T025）
［場所］MonET 館内

T414 ツアーA

マルニクス・デネイス（オランダ）
Marnix de Nijs

Resounding Tsumari

［制作年］2021
［MAP］P024/2-B、P032（★T025）
［場所］MonET 館内

T457　新作　ツアーA

ターニャ・バダニナ
（ロシア）
Tanya Badanina

白い服　未来の思い出

[制作年] 2024
[MAP] P024/2-B, P032（★T025）
[場所] MonET館内

越後妻有の"白い服"に込められる祈り

「白」は、「追悼、死の浄化、魂の解放、天使の色」。モスクワ在住の作家は、亡き娘に捧げるシリーズとして始まった「白い服」プロジェクトを世界各地で展開している。越後妻有を訪問したときには、畑で働く人々の姿に心打たれたという。「両親もウラル地方に小さな土地をもっていて、週末、工場で働いた後に家族のために野菜をつくっていました」（作家コメント）。今回の新作では、妻有の住民の協力で集めた野良着を題材にした"白い服"を展示する。

キュレーター：鴻野わか菜

T415　ツアーA

名和晃平（日本）
Nawa Kohei

Force

[制作年] 2021
[MAP] P024/2-B, P032（★T025）
[場所] MonET館内

T416　ツアーA

イリヤ＆エミリア・カバコフ
（旧ソビエト連邦／アメリカ）
Ilya & Emilia Kabakov

16本のロープ

[制作年] 2021
[MAP] P024/2-B, P032（★T025）
[場所] MonET館内

T419　ツアーA

森山大道（日本）
Moriyama Daido

彼岸は廻る

[制作年] 2021
[MAP] P024/2-B, P032（★T025）
[場所] MonET館内

| T462 | 新作 | 点灯 | ツアーA |

モネ船長と87日間の四角い冒険

MonETの回廊や明石の湯エントランスを使った、今回のMonETオリジナル企画展。国内外の作家が参加し、池の周りで繰り広げられるのは「モネ船長」の"冒険と遊び"!?　たとえばスリル満点の「阿弥陀渡り」や、パターゴルフ、巨大彫刻など、楽しみながら体験できる作品が盛りだくさん。夜間はライトアップされ、昼とは異なる静謐な世界観を味わうことができる。

[参加作家] 加藤みいさ、contact Gonzo×dot architects、さとうりさ、Drawing Architecture Studio（絵造社）、原倫太郎＋原游、マッシモ・バルトリーニ、サ・ブンティ[査雯婷]、ロブ・フォーマン、丸山のどか、渡辺泰幸＋渡辺さよ
キュレーター：原倫太郎＋原游
インフォメーション事務所：アトリエ・トルカ（櫻井雄大＋中村亮太＋中園幸佑）
照明監修：Senju Motomachi Souko（松本大輔／原田弥）
※日程限定で特別な夜プログラムの体験あり

[制作年] 2024
[MAP] P024/2-B, P032（★T025）
[場所] MonET 回廊
[個別鑑賞料] 入場無料
　　　　（別途作品によって体験料
　　　　　が各200円必要）
[点灯] 日没～21:00
[夜プログラム] 7/13（土）～9/30（月）の
　　　　土日祝、8/15（木）、
　　　　16（金）18:00-20:00

| T462 | モネ船長と87日間の四角い冒険 | ツアーA |

原倫太郎＋原游 (日本)
Hara Rintaro + Hara Yu

阿弥陀渡り

[制作年] 2024
[MAP] P024/2-B, P032（★T025）
[場所] MonET 回廊

トリックアート on トリックアート、建物とイメージの架け橋
レアンドロ・エルリッヒによる《Palimpsest: 空の池》（P035）がMonETに対するサイトスペシフィック作品であるように、本作は《Palimpsest: 空の池》に対するサイトスペシフィック作品。池の中で放射状に伸びる柱のイメージの上に水上歩道を設置。体験者は阿弥陀くじを渡るように移動することができる。夜はライトアップすることでモードチェンジ。

T462　モネ船長と87日間の四角い冒険　ツアーA

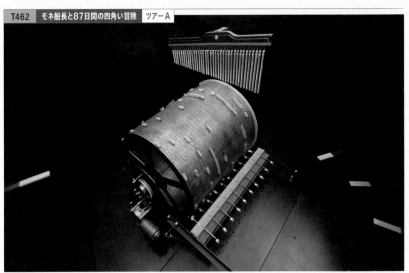

マッシモ・バルトリーニ (イタリア)
Massimo Bartolini
もうひとつのパーティー

[MAP] P024/2-B, P032（★T025）
[場所] MonET 回廊

「音楽」の深淵をのぞく

建築現場などで使われる単管パイプを素材につくられた、パイプオルガンのような作品。それが集まり音はこだまし、歩く鑑賞者にはパイプオルガンのような響きが届く。けれど、その音楽の全体を体験することはできない。音楽の楽譜は常に「彼方」にある。

T462　モネ船長と87日間の四角い冒険　ツアーA

「定禅寺パターゴルフ???倶楽部!!～協働と狂騒のダブルボギー（2打オーバー）」@せんだいメディアテー ©せんだいメディアテーク

contact Gonzo ×
dot architects (日本)
contact Gonzo × dot architects
十日町パターゴルフ???
倶楽部!!

[MAP] P024/2-B, P032（★T025）
[場所] MonET 回廊

手づくりの「パターゴルフ場」で何が起こる!?

大阪を拠点とするパフォーマンスユニット contact Gonzo とさまざまな人々との協働を実践する建築家ユニット dot architects。
これまでにインスタレーション、映画作品の制作などを行ってきた2組。
本展では、昨年2023年宮城県仙台市のせんだいメディアテークにて行った展覧会「定禅寺パターゴルフ???倶楽部!!～協働と狂騒のダブルボギー（2打オーバー）」を大地の芸術祭バージョンとしてアップデートする。

T462　モネ船長と87日間の四角い冒険　**ツアーA**

ロブ・フォーマン（オランダ）
Rob Voerman

Colony

[MAP] P024/2-B, P032（★T025）
[場所] MonET 回廊

未知なるコミュニティのあり方を体験する

「田舎での暮らしを再び魅力的にするにはどうすれば良いか？　インターネットや文化などによって新しいコミュニティをつくることが、現在のトレンドを変えるであろう。また、新しいタイプの住宅の開発なども意味するかもしれない。しかしそれとは別に、この作品は訪問者が探検できる驚きの空間となるであろう」（作家コメント）。彫刻やインスタレーションにより、エコロジーや都市計画をテーマにした発表を続ける作家による新作となる。

T462　モネ船長と87日間の四角い冒険　**ツアーA**

渡辺泰幸＋渡辺さよ（日本）
Watanabe Yasuyuki + Watanabe Sayo

回る音

[MAP] P024/2-B, P032（★T025）
[場所] MonET 回廊

その場だけで生まれる"音"

陶を素材に、触れながら音を楽しめる、場との関係性でつくり出される「音具」を発表する作家。今回は、回廊に袋で覆われた音具を無数に設置。風で音がしたり、子どもたちが触れて楽しむことができる。

T462　モネ船長と87日間の四角い冒険　ツアーA

サ・ブンティ［査雯婷］(中国)
Zha Wenting

神獣の猫龍

[MAP] P024/2-B, P032(★T025) [場所] MonET 回廊

新しい神獣があげる声とは
「不吉」の象徴である猫と「吉祥」を象徴する龍を組み合わせることで、物事に対する先入観を変えたい。そうしたテーマのもと創作する「神獣」のシリーズを発表。社会には絶対的な思惑や規則は存在せず、多様な考え方が共存することを問いかける。

T462　モネ船長と87日間の四角い冒険　ツアーA

加藤みいさ(日本)
Kato Miisa

溢れる

[MAP] P024/2-B, P032(★T025) [場所] MonET 回廊

移ろうのは、光と影と肌ざわり
透明で頑丈な水風船を積み上げた奇妙なオブジェは、触れるインスタレーション作品。とけ出したガラスのような質感、写りこむ周囲の景色がなんとも印象深い。天気や時間で変化する光が作品の表情となり、その時々の作品体験を楽しむことができる。

T462　モネ船長と87日間の四角い冒険　ツアーA

さとうりさ(日本)
Sato Risa

本日も、からっぽのわたし #3

[MAP] P024/2-B, P032(★T025) [場所] MonET 回廊

成形され、ふくらむかたち
模型をつくり、裁断や、縫製を繰り返しながら、さまざまな"膨らむかたち"を現場で試みる。作品とともに街をさまようパフォーマンスなど、新しいパブリックアートとしての作品展開を続ける、多才な作家の試みるシリーズ。

T462　モネ船長と87日間の四角い冒険　ツアーA

丸山のどか(日本)
Maruyama Nodoka

移動してる（電車）、意識も飛んでる

[MAP] P024/2-B, P032(★T025) [場所] MonET 回廊

移動する、という感覚に問いかける
「乗り物による移動」をテーマに、ベニヤや角材などの木材を用いて立体物を制作。それらをMonETの回廊に点在させる。「現代の風景」のありようをミニマルな手法で表象する作家によるインスタレーション。

★T461 飲食
明石の湯

[MAP] P024/2-B, P032（★T461）
[場所] 十日町市本町六の1丁目71-2 越後妻有交流館
[時間] 11:00-21:00（明石の湯営業時間）

T462 新作　モネ船長と87日間の四角い冒険

原倫太郎＋原游 (日本)
Hara Rintaro + Hara Yu

The Long and Winding River (tunnel and table)

[制作年] 2024
[MAP] P024/2-B, P032（★T461）
[場所] 明石の湯
[時間] 9:30-21:00

姿を変える「川」とともに過ごす
「くねくねした川がトンネルになったり、テーブルになったり。美術館と温泉のクロスポイントでチルアウトルームとしての楽しみ方を探っていく。生きものは古代から川に集まって、文明が始まる」（作家コメント）。作家ふたりがつくり出す「川」を、明石の湯に設置。滞在しながら体験できる場を展開していく。

T461 新作

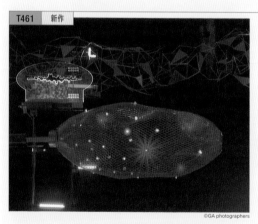

©GA photographers

原広司＋東京大学生産技術研究所 原研究室

(日本)
Hara Hiroshi & Hara Lab. (Institute of Industrial Science, The University of Tokyo)

25の譜面台
─様相論的都市の記号場

[制作年] 2024　[MAP] P024/2-B, P032
[場所] 明石の湯　[時間] 9:30-21:00
[個別鑑賞料] 一般400円、小中学生200円もしくは、越後妻有里山現代美術館 MonET チケットを提示

都市のありようを「記号」が象徴する作品が復元される
25の譜面台の上に設えられた光源とオブジェの明滅により、さまざまな記号に満ちあふれた現代都市の様相を表現するこの作品は、1995年に制作・発表され、デンマークのルイジアナ美術館で発表されたのち北欧4カ国を巡回、その後、大阪・梅田スカイビル空中庭園にて展示された。2024年、当時研究所に所属していた槻橋、大河内らの協力のもと半年の準備期間を経て復元される。

協力：槻橋修＋神戸大学 槻橋研究室／大河内学＋明治大学 大河内研究室、神戸電子専門学校、原広司＋アトリエ・ファイ建築研究所

T462 新作 モネ船長と87日間の四角い冒険

Drawing Architecture Studio（絵造社）(中国)
Drawing Architecture Studio

町の散策

[制作年] 2024　[MAP] P024/2-B, P032（★T461）
[場所] 明石の湯　[時間] 9:30-21:00

想像の町を散策する

十日町の日常的な家々が立ち並ぶ風景を、作家がドローイングや模型で再構築し、平面の図面を折りたたむことで立体模型が立ち上がるように見せる。何気ない風景でも、日々不思議を発見しながら散策する楽しさがあることを表現する。
協力：HUBART（瀚和文化）

T317 屋外

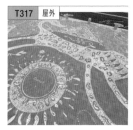

淺井裕介 (日本)
Asai Yusuke

チョマノモリ

[制作年] 2015　[MAP] P024/2-B, P032
[場所] MonET南側広場

T320

小松宏誠 (日本)
Komatsu Kosei

Winter Circlet

[制作年] 2015　[MAP] P024/2-B, P032
[場所] 十日町駅 西口エントランス

T309 屋外 飲食

手塚貴晴＋手塚由比 (日本)
Tezuka Takaharu + Tezuka Yui

十日町産業文化発信館いこて

[制作年] 2015　[MAP] P024/2-B, P032
[場所] 本町5-39-6
※施設営業は月定休

十日町駅東口公園

T384

日比野克彦 (日本)
Hibino Katsuhiko

喫茶 TURN

[制作年] 2018　[MAP] P024/2-B, P032
[場所] 十日町駅 東口公園
[個別鑑賞料] 一般400円、小中学生200円 ※T385を含む
協力：妻有地域包括ケア研究会

T385

ひびのこづえ (日本)
Hibino Kodue

10th DAY MARKET

[制作年] 2018　[MAP] P024/2-B, P032
[場所] 十日町駅 東口公園
[個別鑑賞料] 一般400円、小中学生200円 ※T384を含む

越後妻有文化ホール「段十ろう」

T390 　屋外　夜間のみ

髙橋匡太（日本）
Takahashi Kyota

光り織

［制作年］2018　［MAP］P024/2-B, P032
［場所］越後妻有文化ホール「段十ろう」
外構
［点灯］日没〜21:00

T387

ジョゼ・デ・ギマランイス
（ポルトガル）
José de Guimarães

SNOW OF SPRING

［制作年］2018　［MAP］P024/2-B, P032
［場所］越後妻有文化ホール「段十ろう」
緞帳　［時間］9:00〜17:00
※第2・4月曜、段十ろうでのイベント開催時は
非公開

T388 　屋外　点灯

ジョゼ・デ・ギマランイス
（ポルトガル）
José de Guimarães

THE BIRTH OF THE
SPRING

［制作年］2018　［MAP］P024/2-B, P032
［場所］越後妻有文化ホール「段十ろう」
外構　［点灯］日没〜22:00

T321 　新展開

ナウィン・ラワンチャイクン＋
ナウィンプロダクション（タイ／タイ、日本）
Navin Rawanchaikul + Navin Production

赤倉の学堂

［制作年］2015・2022・2024　［MAP］P024/3-C
［場所］十日町市戌301（旧赤倉小学校）
［個別鑑賞料］一般600円、小中学生300円

集落を営む人物たちの肖像をアップデート

作家はラファエロ作の名画《アテネの学堂》を模した大型絵画を2015年に制作。ソクラテスやプラトンなど古代ギリシャの哲学者に代わり、赤倉集落に暮らす人たちが描かれている。地域の歴史と各戸の家族の記録を作品として残し、2022年にはタイの仲間たちと赤倉の人たちが同一のキャンバスに描かれた作品を公開した。今回は作家からの新たなメッセージを加え《赤倉の学堂》を再構築する。

T074 　屋外

リュイス・サンス（スペイン）
Lluís Sans

オンマネ カゼ

［制作年］2003　［MAP］P024/2-B
［場所］川治妻有神社

T207 　屋外

浅見和司（日本）
Asami Kazushi

あかくらん

［制作年］2009　［MAP］P024/3-C
［場所］旧赤倉小学校 前

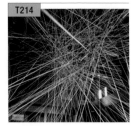

T214

アントニー・ゴームリー
（イギリス）
Antony Gormley

もうひとつの特異点

［制作年］2009　［MAP］P024/3-B
［場所］二ツ屋
［個別鑑賞料］一般400円、小中学生200円

T446　新作　ツアーB

東弘一郎（日本）
Azuma Koichiro

人間エンジン

[制作年] 2024　[MAP] P024/2-B
[場所] 七和防災センター
[個別鑑賞料] 一般400円、小中学生200円

"除雪車"が人力で走り回る！

金属を使い、人が関わることで動く立体作品を手がける作家による新作は、自転車を素材にした巨大な車。大きな羽根で雪を吹き飛ばす「ロータリー除雪車」をモチーフに、賑やかな七和地区で豪雪に向き合う住民たちの団結力をイメージした、動く作品だという。それはすなわち、来場者を含む人そのものが動力＝エンジンとなる車。搭乗者全員が連携してペダルを漕ぐことで動き、町中を走り回る。

T392　新展開

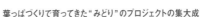

酒百宏一（日本）
Sakao Koichi

みどりの部屋プロジェクト
「みどりの家」

[制作年] 2006〜　[MAP] P024/2-B
[場所] 関浅 旧十日町市営スキーハウス
[個別鑑賞料] 一般400円、小中高生200円

葉っぱづくりで育ってきた"みどり"のプロジェクトの集大成

2006年に始まり、2012年よりこの建物で行われているプロジェクト。作家は、フロッタージュという写しとりの技法で地域の記憶を描き出す作品を展開しているが、越後妻有では落ち葉を緑色の色鉛筆で写し葉っぱをつくり、来場者とともに「みどり」を成長させてきた。だが、この会場は建物の老朽化により今回で最終回。そこで総括として、これまでの作品を展示した部屋をつなぎ、会場全体を「みどりの家」として作品化。来場者による葉っぱづくりを通じ、作品と地域や人とのつながりをかたちにしていく。
協力：ホルベイン画材株式会社

★T173 | 新展開 | 飲食 | ツアーA

田島征三（日本）
Tashima Seizo

鉢＆田島征三 絵本と木の実の美術館

[制作年] 2009〜 ［MAP］P024/2-A
[場所] 十日町市真田甲2310-1（旧真田小学校）
[個別鑑賞料] 一般800円、小中学生400円
（カフェの詳細はP126）

田島征三が長年取り組む、鉢集落にある美術館。かつて小学校だったここでは、最後の在校生の子どもたち3人と学校に棲むオバケのトペラトトが繰り広げる物語を、壮大な"空間絵本"として展開。さて今回はどんなお話が始まるのか……、楽しみに訪ねてみよう。

T451 | 新作 | ツアーA

田島征三（日本）
Tashima Seizo

オレの歌をきいてくれ
〜水の女王が創った輪舞曲（ロンド）〜

[制作年] 2024 ［MAP］P024/2-A（★T173）
[場所] 絵本と木の実の美術館
[制作協力] 鞍掛純一、中里繪魯洲

**空間絵本作家が共作で奏でる
"音楽"とは?**
高知県の自然豊かな環境で過ごした原体験をインスピレーションに、半世紀以上にわたり絵本作家として、アーティストとして活動する作家がてがける新作。2018年より校舎の周辺も整備し始め、「環境とアート」の拠点として周囲の自然と親しむ場を制作し、2022年には"生きものたちのケハイ"を象徴する作品を発表。さらなる試みとなる本作は、芸術祭にも縁深いふたりの彫刻家との共同制作。巨大な鉄のオブジェと新開発の水車により、「水の流れが教えてくれた曲」を演奏する。

T067 屋外

R & Sie 建築事務所
（フランス）
R & Sie sarld' Architecture

アスファルト・スポット

[制作年] 2003　[MAP] P024/2-B
[場所] 妻有大橋付近

T325 ツアーB

ジミー・リャオ［幾米］（台湾）
Jimmy Liao

Kiss & Goodbye（土市駅）

[制作年] 2015　[MAP] P024/3-A
[場所] 土市駅
[個別鑑賞料] 一般400円、小中学生200円

T326

ジミー・リャオ［幾米］（台湾）
Jimmy Liao

Kiss & Goodbye（越後水沢駅）

[制作年] 2015　[MAP] P024/3-A
[場所] 越後水沢駅
[個別鑑賞料] 一般400円、小中学生200円

T076 屋外

日本工業大学小川次郎研究室＋黒田潤三（日本）
Ogawa Laboratory, Nippon Institute of Technology+Kuroda Junzo

モミガラパーク

[制作年] 2003　[MAP] P024/4-B
[場所] 鍬柄沢

T154 屋外

小川次郎／日本工業大学小川研究室（日本）
Ogawa Jiro/Ogawa Laboratory, Nippon Institute of Technology

マッドメン

[制作年] 2006　[MAP] P024/4-B
[場所] 鍬柄沢

T323 屋外

小川次郎／日本工業大学小川研究室（日本）
Ogawa Jiro/Ogawa Laboratory, Nippon Institute of Technology

「アート村・鍬柄沢（くわがらさわ）」構想

[制作年] 2015　[MAP] P024/4-B
[場所] 鍬柄沢

T409

パノラマティクス／齋藤精一（日本）
Panoramatiks/Saito Seiichi

JIKU #013 HOKUHOKU-LINE

[制作年] 2021　[MAP] P024/2-B
[場所] 北越急行ほくほく線美佐島駅
※鑑賞の際はほくほく線十日町駅もしくはまつだい駅からの乗車が必要
[公開日] 会期中、以下の土日で実施
7/13・14・20・21、8/3・4・17・18、9/14・15・21・22、10/19・20・26・27、11/9・10
[個別鑑賞料] 鑑賞料：一般700円、小中学生500円
※パスポートのみでは鑑賞できません
[パスポート特典] 鑑賞料：一般500円、小中学生300円
※鑑賞料のほかに「芸術祭列車」の乗車賃が別途必要
※運行スケジュール詳細はHPを参照

| T456 | 新作 | 屋外 | ツアーB |

楢木野淑子（日本）
Naragino Yoshiko

キューブ

［制作年］2024　［MAP］P024/3-A
［場所］市ノ沢

**茂みの中に佇むオブジェは
絢爛・巨大な陶芸作品**

「自然の中、森の奥、この地にもともとあったかのような、または突然出現したようなキューブは、時の流れや世界の不可思議を静かでありながら饒舌に語ります」（作家コメント）。陶芸をベースに、さまざまな文化・歴史・自然のあり様を引用しながら、生命力あふれる立体作品をてがける若手作家が今回発表するのは、突如現れる巨大なオブジェ。近未来のようでもあり、古代の遺物でもあるような本作は、自然の空間の中で深遠な輝きをたたえる。

《あるべきようわ、ムコの山》「六甲ミーツ・アート 芸術散歩2017」

| T418 | 新展開 |

Doobu＋立命館大学産業社会学部永野聡ゼミ（日本）
Doobu + Satoshi NAGANO Seminar,
College of Social Sciences, Ritsumeikan
University

34mmの彩り

［制作年］2024　［MAP］P024/3-A　［場所］伊達
［個別鑑賞料］一般400円、小中学生200円

**十日町の文化と自然を育てた「雪囲い材」
からさしこむ陽光**

まちづくりを専門にするメンバーから結成され、芸術祭には2012年から参加を続ける「Doobu：ドーヴ」と、高齢化・地域文化の継承・復興といった社会問題に取り組む永野聡のゼミによるプロジェクト。ここで着目したのは、十日町の古い家屋に設置される「雪囲い材」。冬の陽光を屋内に届け、地域の自然を活性化させてきた雪囲い材を"光の装置"に見立てたインスタレーションを展開する。そこで生まれる交流や、展示後の地域での活用も見据えた試みである。

十日町市の北西にあたる、川西エリア。平地と傾斜を繰り返す国内有数の「河岸段丘」の地形や、川の流れを利用して開墾された「瀬替え田」など、越後妻有の里山ならではの大らかで味わい深い風景を楽しめる地域。ここには越後三山を背景にしたナカゴグリーンパークでのプロジェクトや、人気の宿泊施設でもある《光の館》をはじめ、注目作品が点在しています。

KAWANISHI AREA

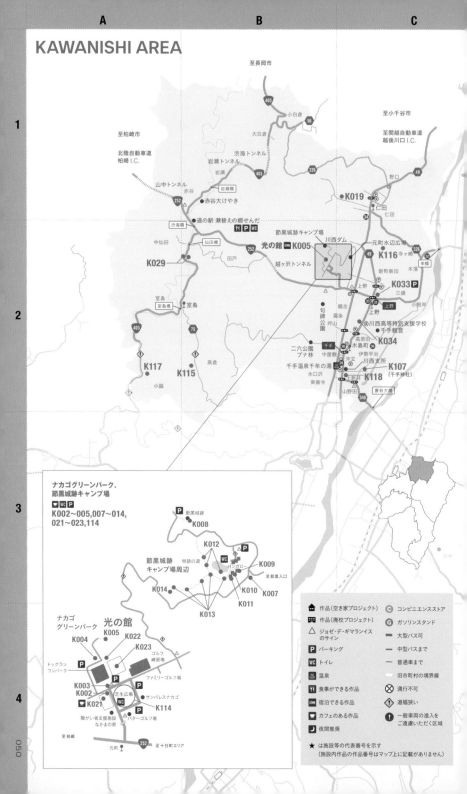

至長岡市

至小千谷市
至関越自動車道
越後川口 I.C.

至柏崎市
北陸自動車道
柏崎 I.C.

小白倉
大白倉
渋海トンネル
岩瀬トンネル
山中トンネル
赤谷大けやき
道の駅 瀬替えの郷せんだ
野口

K019
仁田

光の館 **K005**
川西ダム
元町水辺広場
K116 寺ヶ崎
栄橋

K029
仙田橋
越ヶ沢トンネル
田戸
上野
新町新田
K033
三領

中仙田
室島
室島橋
句碑公園
鵜条
菅条押山
上野

川西高等特別支援学校
千手観音
K034
高原田
木島町
伊勢平治
川西支所
二六公園
ブナ林
千手
中屋敷
K107(千手神社)

K117
K115
高倉
小脇

千手温泉千年の湯
水口沢
東善寺
新井
K118
山野田
埼有大橋

ナカゴグリーンパーク、節黒城跡キャンプ場
K002〜005,007〜014,
021〜023,114

節黒城跡
K008
K012
物語の道
バンガロー
K009
節黒城跡
キャンプ場周辺
至勤農入口
K014
K010
K007
K011
K013

ナカゴ
グリーンパーク
光の館
K004
K005
K022
K023
ドッグランワンパーク
ゴルフ練習場
K003
K002
ファミリーゴルフ場
芝生広場
K021
サンパレスナカゴ
K114
障がい者支援施設
なかまの家
パターゴルフ場
至柏崎
元町
至十日町エリア

凡例

- 🏠 作品(空き家プロジェクト)
- 🏫 作品(廃校プロジェクト)
- △ ジョゼ・デ・ギマランイスのサイン
- 🅿 パーキング
- WC トイレ
- ♨ 温泉
- 🍴 食事ができる作品
- 🛏 宿泊できる作品
- ☕ カフェのある作品
- 🌙 夜間推奨

- © コンビニエンスストア
- Ⓖ ガソリンスタンド
- ▬ 大型バス可
- ━ 中型バスまで
- ─ 普通車まで
- ┄ 旧市町村の境界線
- ⊗ 通行不可
- ⬦ 道幅狭い
- ❶ 一般車両の進入をご遠慮いただく区域

★ は施設等の代表番号を示す
(施設内作品の作品番号はマップ上に記載がありません)

ナカゴグリーンパーク

〈里山アートどうぶつ園〉2018

K114 | 新作 | 屋外 | ツアーB

Nakago Wonderland
ーどうぶつ達の息吹と再生

[MAP] P050/2-B
[場所] ナカゴグリーンパーク芝生広場周辺
[公開日] 7/13（土）〜10/6（日）火水以外
[個別鑑賞料] 一般600円、小中学生300円

心の癒しや開放的な自然とのつながりを感じる機会をもつことで、コロナ禍からの脱却を経た新しい活力を。そんな思いから展開される、ナカゴグリーンパークの広大な芝生を主な舞台にしたプロジェクト。ユニークかつユーモアあふれる「動物」をモチーフとした作品群を中心に、ワークショップやパフォーマンスなど観客参加型の作品も。

[参加作家] 石橋幸大、一色智登世、大曽根俊輔、大谷桜子、岡本光博、笠井祐輔、島田忠幸、関口恒男、五月女かおる、玉田多紀、鳥居歩、中里繪魯洲、中村正、早川鉄兵、早野恵美、三松拓真、村山大明

K114 | Nakago Wonderland | ツアーB

中里繪魯洲（日本）
Nakazato Eros

くるくるさんば

[MAP] P050/2-B

「体験型」メリーゴーラウンド
金属を中心に、ガラスや木などの異素材も扱う作家は、廻る・循環するものを近年のテーマにしている。本作はおおたか静流の楽曲「回転木馬」に着想を得て制作。※木馬への乗車体験開催は不定期

| K114 | Nakago Wonderland | ツアーB |

雨引の里と彫刻2022

島田忠幸 (日本)
Shimada Tadayuki

目指せ13m／ツチブタ／オナガザル／テナガザル

[MAP] P050/2-B

山々をバックに躍動！
広大な野山を背に大地を蹴り、着地する寸前のカンガルー。近年「プリニウスの動物達」というシリーズを展開する作家による、ひとつの動作をかたどった造形作品。

| K114 | Nakago Wonderland | ツアーB |

玉田多紀 (日本)
Tamada Taki

大地竜

[MAP] P050/2-B

タマゴを守る恐竜が残すもの
ダンボールを素材とし、生物の造形美や性質を表現する玉田。本作では屋外で時間とともに作品が変容していく様が見られ、タマゴを制作できる参加型スペースも設置。

| K114 | Nakago Wonderland | ツアーB |

関口恒男 (日本)
Sekiguchi Tsuneo

越後妻有レインボーハット2024

[MAP] P050/2-B
[イベント] 9/22(日)「原始未来レイヴ」

虹に包まれたダンスフロアへ
踊るための場所として世界各地で「レインボーハット」を制作してきた作家が、会期中毎日DJを行う。水と鏡のプリズムによる虹が来訪者を音楽とともに包み込む。

| K114 | Nakago Wonderland | ツアーB |

《山羊のメリーさん カーテン島の冒険》 TEGAMISHA GALLERY Soel

中村正 (日本)
Nakamura Tadashi

はじめに心があった

[MAP] P050/2-B
[イベント] 7/13(土)、14(日)、9/14(土)、
　　　　 15(日) 公開制作パフォーマンス

人形が紡ぎ出す"超現実的世界"
作家が「山羊のメリーさん」というキャラクターに扮し、動物人形の公開制作パフォーマンスを実施。不可思議な動物たちが、展示空間に浮遊する。

`K114` **Nakago Wonderland** ツアーB

《命まじわる絵》ふなばしアンデルセン公園子ども美術館

村山大明（日本）
Murayama Tomoaki

どうぶつ涅槃（ねはん）

[MAP] P050/2-B

自然や生き物と一体となる空間
調和・交わりをテーマに動植物の群像を緻密に描く村山がつくり出す、涅槃（ねはん）の世界。テントの内装を大きなキャンバスとし、さまざまな生き物に包まれ一体となる世界を表現。

`K114` **Nakago Wonderland** ツアーB

早川鉄兵（日本）
Hayakawa Teppei

アニマルピクニック

[MAP] P050/2-B
[イベント] 8/17（土）, 18（日）切り絵ワークショップ

ダイナミックな切り絵アート
自然や動物をモチーフに作品を手がける切り絵作家による野外インスタレーション。切り絵の原画をもとにさまざまな動物が制作・配置され、自由気ままに世界観を楽しめる。

`K114` **Nakago Wonderland** ツアーB

`K114` **Nakago Wonderland** ツアーB

黒川里山アートプロジェクト 緑と道の美術展

岡本光博（日本）
Okamoto Mitsuhiro

トラロープ

[MAP] P050/2-B

"境界"を問うユーモラスな表現
「バッタもん」「ドザえもん」などの風刺的作品でしられる岡本。本作も黄色と黒の模様から「トラロープ」と呼ばれる標識ロープから着想した立体作品を展開する。

大谷桜子（日本）
Ohtani Sakurako

うさぎ

[MAP] P050/2-B

ただそこにある、という力強さ
主に陶土を用いて制作する作家が初めて大型作品に挑戦したもの。すっくと立ち、遠くを見据える大きなうさぎの凛とした佇まいが、存在感を放つ。

K114　Nakago Wonderland　ツアーB

六甲ミーツ・アート芸術散歩 2023 beyond

五月女かおる（日本）
Sotome Kaoru

食事の風景

［MAP］P050/2-B

フェンスに組み込まれた、動物の姿
食材が口に入るまでの過程が見えづ
らい現代の食事から、「生命が食材
となる境界の希薄さ」をテーマに表
現。食べる／食べられるという関係
にも想像が膨らんでいく。

K114　Nakago Wonderland　ツアーB

黒川里山アートプロジェクト 緑と道の美術展

鳥居歩（日本）
Torii Ayumi

息／みつめる

［MAP］P050/2-B

触れたくなるような佇まい

動物をモチーフに石彫を手がける鳥居
による、狼とモグラの作品。どっしりとし
ながらもやわらかな質感の動物たちは、
その日の天候や見る人の心情によって
さまざまな表情を見せる。

K114　Nakago Wonderland　ツアーB

石橋幸大（日本）
Ishibashi Kodai

モノの移行

［MAP］P050/2-B

乗り物とヒトの関係を問う彫刻

"持ち物"が"廃材"になるように、"廃
材"が新たな価値をもつことがある。そ
んな試みを続ける石橋の新作は、廃
材を用いた馬。人が「移動」の役割を
託すもののあり方を問う作品となる。

K114　Nakago Wonderland　ツアーB

大曽根俊輔（日本）
Osone Shunsuke

キリン舎オオサンショウウオ館

［MAP］P050/2-B

動物への愛情が生む、巨大な漆作品

乾漆技法で制作する大曽根が手が
けたのは、娘の一声で決まった等身
大のキリン。オオサンショウウオととも
にこの地に悠然と佇む（動物のモチー
フは変更の可能性あり）。

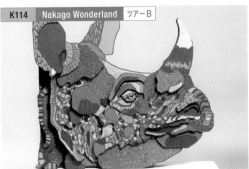

K114　Nakago Wonderland　ツアーB

早野恵美 (日本)
Hayano Megumi

動物図鑑

[MAP] P050/2-B

鑑賞者を見つめる、
あたたかなまなざし

板を重ねた支持体に描かれた、半立
体の作品。和紙に日本画材である
岩絵具を使って描かれる動物たちは、
カラフルで躍動的。生命力に満ちた
愉快な動物たちが描き出される。

K114　Nakago Wonderland　ツアーB

三松拓真 (日本)
Mimatsu Takuma

Re:cycling!!

[MAP] P050/2-B

乗り物が、キャラクターに!?

乗り物と動物を融合させた木彫作品
を手がける三松によるインスタレーショ
ン。自転車や、原付などをモチーフに、
「新しい生命の可能性」を提示する。
協力：寿加工株式会社、オンサイト株式会社

一色智登世 (日本)
Isshiki Chitose

Dance of prayer -seeds-

[MAP] P050/2-B

色彩豊かな祈りの造形

陶を素材に「SEED- 種、はじまりの
かたち」というコンセプトのもと作品を
展開する作家による本作。その生命
力に満ちた造形に、明るい未来への
願いを込める。

《seed-meet-》「Dance, Dance, Dance and Dance」JILL D´ART GALLERY

K114　Nakago Wonderland　ツアーB

笠井祐輔 (日本)
Kasai Yusuke

生まれてきてくれて、ありがとう

[MAP] P050/2-B

あなたを包み込む、揺れる球体

日常の事象から「生命が創造する新た
な価値」を提案する笠井が制作した、
ロッキングチェアのように揺れる球体。
鑑賞者はそこに包み込まれて安らぐこ
とができる。それは胎児に戻ったよう
な感覚かもしれない。

「くどやま芸術祭2021」丹生官省符神社

K005 | 宿泊 | ツアーB

ジェームズ・タレル（アメリカ）
James Turrell

光の館

[制作年]2000　[MAP]P050/2-B
[場所]十日町市上野甲2891
[公開日]火水以外 ※臨時休館あり
[時間]〜10/31（木）11:00-15:30（最終入館15:00）
　　　11/1（金）〜 11:30-15:00（最終入館14:30）
　　　※臨時休館あり
[個別鑑賞料]一般（中学生以上）600円、小学生300円
[TEL]025-761-1090
（宿泊の詳細はP130）

自然の中で浸る、幻想的な光の世界
谷崎潤一郎の『陰翳礼讃』にインスピレーションを受けた作家が手がけた、地域の伝統的な日本家屋をモデルとした作品兼ゲストハウス。光と空間をテーマに「光の知覚」を探求してきたジェームズ・タレルの世界で唯一泊まれる作品であり、"瞑想のためのゲストハウス"として構想された。時間とともに異なる表情を見せる空の光、浴槽に発光する水の光など、多彩な光の変化を体験できる空間で、宿泊者は自然光と人工光が調和する唯一無二の光のプログラムを堪能できる。

K021 | 屋外 | 飲食

to the woods（トゥー・ザ・ウッズ）
（日本／オーストリア）
to the woods

ベリー・スプーン

[制作年]2003　[MAP]P050/2-B
[場所]ナカゴグリーンパーク芝生広場周辺
[公開日]7/13（土）〜8/12（月祝）月金土日　[時間]10:00-16:00

ベリー・ハウス（カフェ）
[メニュー]フローズンヨーグルト、アイスクリーム、ケーキ

ジャムづくりワークショップ
[時間]9:30〜（受付開始 9:00〜）※1日1回限り
[ワークショップ料金]500円

摘みたてのベリーで、オリジナルのジャムづくりを1か月限定でオープンするこのカフェでは、地元のお母さん方が育てるベリーを使ったジャムづくりのワークショップを開催。館内では喫茶も楽しめる。

K002 屋外

斎藤義重（日本）
Saitoh Ghiju

時空

[制作年] 2000　[MAP] P050/2-B
[場所] ナカゴグリーンパーク芝生広場
周辺

K003 屋外

藤原吉志子（日本）
Fujiwara Yoshiko

レイチェル・カーソンに捧ぐ
～4つの小さな物語

[制作年] 2000　[MAP] P050/2-B
[場所] ナカゴグリーンパーク芝生広場
周辺

K004 屋外

PHスタジオ（日本）
PH Studio

河岸段丘

[制作年] 2000　[MAP] P050/2-B
[場所] ナカゴグリーンパーク芝生広場
周辺

K022 屋外

母袋俊也（日本）
Motai Toshiya

絵画のための見晴らし小屋・妻有

[制作年] 2003　[MAP] P050/2-B
[場所] ナカゴグリーンパーク芝生広場
周辺

K023 屋外

たほりつこ（日本）
Taho Ritsuko

グリーン ヴィラ

[制作年] 2003　[MAP] P050/2-B
[場所] ナカゴグリーンパーク芝生広場
周辺

K007 屋外

吉水浩（日本）
Yoshimizu Hiroshi

森の番人

[制作年] 2000　[MAP] P050/2-B
[場所] 節黒城跡キャンプ場周辺

K009 屋外　宿泊

河合喜夫（日本）
Kawai Yoshio

節黒城跡キャンプ場
コテージA棟

[制作年] 2000　[MAP] P050/2-B
[場所] 節黒城跡キャンプ場
※宿泊者のみ入館可
（宿泊の詳細はP130）

K010 屋外　宿泊

塚本由晴＋アトリエ・ワン＋三
村建築環境設計事務所（日本）
Tsukamoto Yoshiharu+Atelier
Bow-Wow+MALO Planning

節黒城跡キャンプ場 コテージB棟

[制作年] 2000　[MAP] P050/2-B
[場所] 節黒城跡キャンプ場
※宿泊者のみ入館可
（宿泊の詳細はP130）

K011 屋外　宿泊

石井大五（日本）
Ishi Daigo

節黒城跡キャンプ場
コテージC棟

[制作年] 2000　[MAP] P050/2-B
[場所] 節黒城跡キャンプ場
※宿泊者のみ入館可
（宿泊の詳細はP130）

K008 屋外

白川昌生 (日本)
Shirakawa Yoshio

さわれる風景Ｉ城主の座

[制作年] 2000　[MAP] P050/2-B
[場所] 節黒城跡

K012 屋外

ジョゼ・デ・ギマランイス
（ポルトガル）
José de Guimarães

詩人の瞑想の路

[制作年] 2000　[MAP] P050/2-B
[場所] 節黒城跡キャンプ場

K013 屋外

エステル・アルバルダネ
（スペイン）
Esther Albardané

庭師の巨人

[制作年] 2000　[MAP] P050/2-B
[場所] 節黒城跡キャンプ場

K014 屋外

柳健司 (日本)
Yanagi Kenji

空と大地の展望台

[制作年] 2000　[MAP] P050/2-B
[場所] 節黒城跡キャンプ場

K019 屋外

西野康造 (日本)
Nishino Kozo

この大地と空の間

[制作年] 2000　[MAP] P050/1-C
[場所] 仁田

K029 屋外

春日部幹 (日本)
Kasukabe Kan

20 minute walk

[制作年] 2003　[MAP] P050/2-B
[場所] 中仙田

K033 屋外

内田繁 (日本)
Uchida Shigeru

境界の神話

[制作年] 2006　[MAP] P050/2-C
[場所] 上野

K034 屋外

足髙寛美 (日本)
Ashitaka Hiromi

パッセージ

[制作年] 2006　[MAP] P050/2-C
[場所] 霜条

K107 屋外

国松希根太 (日本)
Kunimatsu Kineta

記憶の痕跡と明日の杜

[制作年] 2018　[MAP] P050/2-C
[場所] 千手神社

K117 新作 屋外

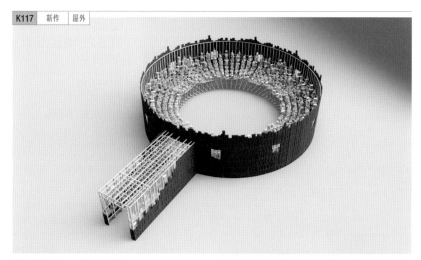

丹治嘉彦＋橋本学 (日本)
Tanji Yoshihiko+Hashimoto Manabu

小脇の学校

[制作年] 2024 [MAP] P050/2-A [場所] 小脇

かつての記憶が宿る地に、新たな息吹を
2005年より小脇集落との交流を深めてきた作家が展開するプロジェクト。川西地区全学校の児童生徒を対象にしたワークショップを行い、子どもたちとともに学校などで出た廃材を素材に作品化。小学校の分校跡地に集積し一堂に展示する。

K118 新作 屋外 ツアーB

久保寛子 (日本)
Kubo Hiroko

三ツ山のスフィンクス

[制作年] 2024 [MAP] P050/2-C
[場所] 東善寺

山あいに鎮座する守護神
死者を守る守護神であり、旅人の生死を司る妖怪めいた存在でもあるスフィンクス像。近辺に閻魔王や狛犬の像があることから、農耕や偶像をテーマに制作を行う作家がそれぞれの像を民俗学、彫刻史的な視点でつなげる試みとして制作。

K115 新作 ツアーB

力五山
–加藤力・渡辺五大・山崎真一–（日本）
RIKIGOSAN -Kato Riki, Watanabe Godai, Yamazaki Shinichi-

時の回廊
十日町高倉博物館

［制作年］2024　［MAP］P050/2-B
［場所］十日町市高倉戊876
　　　（旧高倉小学校）
［個別鑑賞料］一般600円、
　　　　　小中学生300円

営みの歴史を一望できる空間へ
結成当初より高倉集落を舞台に、住民と協働しながら活動を続けてきた力五山。地域の重要な民具や農具が保管されていたかつての体育館全体を作品として魅せる。蓄積された時間や、人々の営みの痕跡をみることができる回廊型の展示。

K116 新作 屋外

岩城和哉＋
東京電機大学岩城研究室（日本）
Iwaki Kazuya + Tokyo Denki University Iwaki Laboratory

段丘崖のため池

［制作年］2024　［MAP］P050/2-C　［場所］新町新田

土地に息づく風景を可視化する
土と木々に囲まれ、空を映す水面。「水と土と人の営みによって生まれた美しい風景。そのありようを顕在化したい」と、15年にわたり集落との関係を築いてきた建築家である作家と学生が、段丘崖のきわにある池において、この地ならではの空間を展開。

越後妻有の南東部。JR飯山線の越後田沢駅周辺から、信濃川の支流である清津川
沿いに作品や拠点が点在している中里。新潟ならではの自然を残す有数の地として、
公園や温泉、キャンプ場も多くあります。ミオンなかさと周辺の作品群に始まり、清津峡
渓谷トンネルの作品や、芸術祭の思想を支える磯辺行久の作品群を収める清津倉庫
美術館など、見どころがいっぱいです。

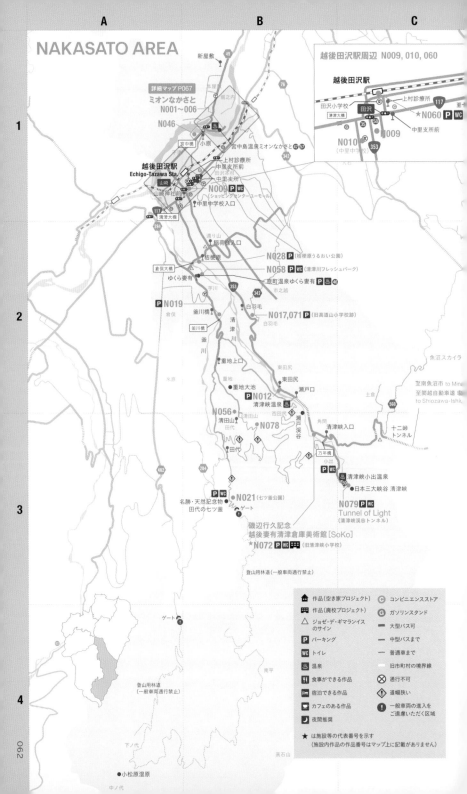

NAKASATO AREA

A **B** **C**

新屋敷

詳細マップ P067
ミオンなかさと
N001〜006

N046

宮中島温泉ミオンなかさとへ

越後田沢駅
Echigo-Tazawa Sta.

上村診療所
中里支所前
中里支所
N009 ショッピングセンターユーモール
中里中学校入口

清津大橋

越後田沢駅周辺 N009, 010, 060
越後田沢駅
田沢小学校
清津大橋
田沢
上村診療所
★N060 P WC
中里支所前
N010 (中里中学校）
N009

越荷裏入口
桔梗原
N028 P （桔梗原うるおい公園）
N058 P WC （清津川フレッシュパーク）
一麻町温泉ゆくら妻有 P 温泉
市之越
白羽毛
N019 P
釜川橋
白羽毛
N017,071 P （旧高道山小学校跡）

清津川
釜川橋
釜川

重地上口
重地大池
東田尻
東田尻
N012 P
清津峡温泉 温泉
瀬戸口
N056
清田山 清田山
西田尻
N078
瀬戸渓谷
清津峡入口
田代
万年橋 P WC
清津峡小出温泉
日本三大峡谷 清津峡

N021 （七ツ釜公園）
名勝・天然記念物 P WC
田代の七ツ釜
ゲート

磯辺行久記念
越後妻有清津倉庫美術館 [SoKo]
★N072 P WC 廃校 （旧清津峡小学校）

N079 P WC
Tunnel of Light
（清津峡渓谷トンネル）

魚沼スカイラ

至南魚沼市 to Mina
至関越自動車道 塩
to Shiozawa-Ishi

十二峠
トンネル

登山用林道（一般車両通行禁止）

凡例

🏠 作品(空き家プロジェクト)
🏫 作品(廃校プロジェクト)
△ ジョゼ・デ・ギマランイスのサイン
P パーキング
WC トイレ
♨ 温泉
🍴 食事ができる作品
🛏 宿泊できる作品
☕ カフェのある作品
🎵 夜間推奨

C コンビニエンスストア
G ガソリンスタンド
— 大型バス可
— 中型バスまで
— 普通車まで
‥‥ 旧市町村の境界線
⊗ 通行不可
◇ 道幅狭い
❶ 一般車両の進入をご遠慮いただく区域

★ は施設等の代表番号を示す
（施設内作品の作品番号はマップ上に記載がありません）

登山用林道
（一般車両通行禁止）

下ノ代
南平
高石山
小松原湿原
中ノ代

★N060 屋外

アトリエ・ワン＋東京工業大学塚本研究室（日本）
Atelier Bow-Wow + Tokyo Institute of Technology Tsukamoto Lab.

船の家

[制作年] 2012 [MAP] P062/1-B
[場所] 越後田沢駅

N061 N062

河口龍夫（日本）
Kawaguchi Tatsuo

未来への航海
水から誕生した心の杖

[制作年] 2012 [MAP] P062/1-B
[場所] 越後田沢駅

N009 屋外

ニュウ・ポ［牛波］（中国）
Niu Bo

克雪人

[制作年] 2000 [MAP] P062/1-B
[場所] ショッピングセンターユーモール

N058 屋外

設計＝槻橋修＋ティーハウス建築設計事務所（日本）
Tsukihashi Osamu + ARCHITECTS TEEHOUSE

清津川プレスセンター「きよっつ」

[制作年] 2009 [MAP] P062/2-B
[場所] 清津川フレッシュパーク

N010 屋外

リチャード・ウィルソン（イギリス）
Richard Wilson

日本に向けて北を定めよ（74°33'2''）

[制作年] 2000 [MAP] P062/1-A
[場所] 中里中学校

N028 屋外 ツアーA

内海昭子（日本）
Utsumi Akiko

たくさんの失われた窓のために

[制作年] 2006 [MAP] P062/2-B
[場所] 桔梗原うるおい公園

N012 屋外

クリス・マシューズ（イギリス）
Chris Matthews

中里かかしの庭

[制作年] 2000 [MAP] P062/2-B
[場所] 東田尻

N019 屋外 ツアーC

カサグランデ＆リンターラ建築事務所（フィンランド）
Architect Office Casagrande & Rintala

ポチョムキン

[制作年] 2003 [MAP] P062/2-B
[場所] 倉俣

N046 屋外

内海昭子（日本）
Utsumi Akiko

遠くと出会う場所

[制作年] 2009 [MAP] P062/1-B
[場所] 小原

改修設計＝山本想太郎（日本）
Renovation Designed by Yamamoto Sotaro

磯辺行久記念
越後妻有清津倉庫美術館［SoKo］

［制作年］2015・2017　［MAP］P062/3-B
［場所］十日町市角間未1528-2（旧清津峡小学校）
［個別鑑賞料］一般800円、小中学生400円

小学校をリニューアルし、2015年に美術館としてオープン。2017年に校舎棟も改修し、現在のかたちに。芸術祭の思想的背景を支える磯辺行久の長年の取り組みや調査結果を管理・公開し、企画展なども行っている。2021年度グッドデザイン賞受賞。

磯辺行久（日本）
Isobe Yukihisa

大地の芸術祭と地域環境
—越後妻有における
地域資源の継承—

［制作年］2018・2024
［MAP］P062/3-B（★N072）
［場所］清津倉庫美術館 校舎棟

芸術祭の思想的土台と、作家の歩み

作家は1965年にペンシルヴェニア大学大学院で自然科学を修了（修士）、帰国後、環境プランナーとして活躍。北川フラムより1996年に「大地の芸術祭」の構想について相談を受け、地域と密接に関わる芸術祭の基本コンセプト確立に貢献した。本展示は1960年代のワッペン・版画作品から、芸術祭の基本コンセプトとそれに基づき2000年以降に地域資源である風・水・大地・文化社会をテーマに展開したプロジェクト群までを俯瞰しており、作家の現代美術と環境プランニングとの関わりや創造に至るプロセス（過程）が尊重される原則を示している。大地の芸術祭やほかの芸術祭を含めすべてがこの創造の実践である。

今回、ニューヨーク近代美術館（MoMA）収蔵作品《唐獅子》の写真展示などをはじめ、ほかの芸術祭の作品や資料・映像展示などを新設。

驟雨がくる前に Before the rain
「秋山記行」の自然科学的視点からの推考の試み-2
A Conjectural Study for Suzuki Bokushi's "Akiyama Kikou" : "Travelogue" 1828 -No.2

越後妻有アートトリエンナーレ2024「大地の芸術祭」確認辺行久、山本清治、南雲昇

磯辺行久 (日本)
Isobe Yukihisa
しゅうう
驟雨がくる前に
「秋山記行」の自然科学
的視点からの推考の試み
-2

[制作年] 2024
[MAP] P062/3-B (★N072)
[場所] 清津倉庫美術館 体育館

江戸時代の秋山郷で見えたものとは

『秋山記行』は江戸後期の商人・随筆家である鈴木牧之が旧暦1828年9月、1週間にわたり中津川沿いの秋山郷を歩んだ記録で、峡谷や点在する13の集落における衣食住、風俗習慣の見聞きを文章や圖で記している。本展示は磯辺が同資料を題材に行う第1段のプロジェクトである《驟雨がくる前に》(P115)を補完する。最初の集落「清水川原」に焦点を当て、鈴木牧之の文章や圖を引用し、中津川の流路変遷調査や感染症（天然痘）との関わり、局地気象や水の循環について自然科学的視点からの推考を試み、パネルや映像などで提示。特に、体育館の床一面に敷いた中津川の空中写真と壁面の鈴木牧之の圖は圧巻。2023年制作《越後妻有の風》（赤いパラシュート）とあわせて《驟雨がくる前に》を体感できる。

N079　ツアーA

[制作年] 2018・2021　[MAP] P62/3-C
[場所] 清津峡渓谷トンネル
[時間] 8:30-17:00 (最終入坑16:30)
[料金] 入坑料：高校生以上1,000円、
　　　小中学生400円 ※パスポートのみ
　　　では入坑できません
[TEL] 025-763-4800
[パスポート特典] 入坑料：高校生以上500円、
　　　小中学生350円
[要事前予約] 会期中すべての土日祝、8/2
　　　(金)、13(火)～16(金)、
　　　10/21(月)～11/8(金)の平日
　　　（※パスポートの有無にかかわ
　　　らず上記日程は予約が必要、
　　　詳細はHP）

マ・ヤンソン/MADアーキテクツ (中国)
Ma Yansong / MAD Architect
Tunnel of Light

N017 屋外

白羽毛集落のこどもたち＋青木野枝 (日本)
Children in Shirahake+Aoki Noe

LIKE SWIMMING

[制作年] 2003　[MAP] P062/2-B
[場所] 白羽毛

N071 屋外

青木野枝 (日本)
Aoki Noe

田の玉／白羽毛

[制作年] 2015　[MAP] P062/2-B
[場所] 白羽毛

N056 新展開 屋外 ツアーC

ダダン・クリスタント
（インドネシア／オーストラリア）
Dadang Christanto

カクラ・クルクル・アット・ツマリ

[制作年] 2006・2009・2024
[MAP] P062/3-B　[場所] 清田山

山風を受けてまわる
バリと妻有の風見鶏
インドネシアの農民が鳥よけに使う「カクラ・クル・クル」をモチーフに、風が竹音を奏でる作品。2006年からリニューアルを重ね、今回は地域の農業、住民、自然から着想を得た新しい風車を取り入れる。

N078 新作 屋外

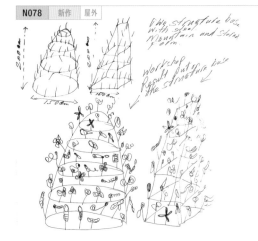

ダダン・クリスタント
（インドネシア／オーストラリア）
Dadang Christanto

手とは美しいもの

[制作年] 2024
[MAP] P062/3-B　[場所] 清田山キャンプ場
[イベント] 風車づくりワークショップ
　　　　　※詳細は公式HPをご確認ください

来場者も一緒に！風車づくり
清田山キャンプ場に来場する人々や学校の子どもたちと、紙、段ボール、アルミ缶などリサイクル可能な材料で小さな風車のおもちゃを制作。それらを集結させ、家を模した枠組みに大作を展開する。

N021 屋外

アン・グラハム
（イギリス／オーストラリア）
Anne Graham

スネーク・パス

[制作年] 2003　[MAP] P062/3-B
[場所] 七ツ釜公園

詳細マップ
ミオンなかさと周辺

宮中三又路

353

353

N006

N005

P

N001,002
WC P

N003
N004

信濃川

ミオンなかさと
47 57

ミオンなかさと

至十日町エリア

117

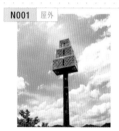

N001 屋外

ジャウマ・プレンサ（スペイン）
Jaume Plensa

鳥たちの家

[制作年] 2000　[MAP] P062/1-B,P067
[場所] ミオンなかさと周辺

N002 屋外

ジャン＝フランソワ・ブラン
（フランス）
Jean-François Brun

ブルーミング・スパイラル

[制作年] 2000　[MAP] P062/1-B,P067
[場所] ミオンなかさと周辺

N003 屋外

CLIP（日本）
CLIP

河岸の燈籠

[制作年] 2000　[MAP] P062/1-B,P067
[場所] ミオンなかさと周辺

N004 屋外

坂口寛敏（日本）
Sakaguchi Hirotoshi

暖かいイメージのために
　―信濃川

[制作年] 2000　[MAP] P062/1-B,P067
[場所] ミオンなかさと周辺

N005 屋外

ホン・スン・ド［洪性都］
（韓国）
Hong Sung-Do

妻有で育つ木

[制作年] 2000　[MAP] P062/1-B,P067
[場所] 宮中

N006 屋外

オル・オギュイベ（ナイジェリア）
Olu Oguibe

いちばん長い川

[制作年] 2000　[MAP] P062/1-B,P067
[場所] 黄桜の丘公園

まつだい駅を中心にした一帯、越後妻有の農耕文化を象徴する景観が楽しめるエリア。芸術祭の拠点施設のひとつである《まつだい「農舞台」》の周囲の屋外にはフィールドミュージアムが広がります。松代城や松代商店街など歩いて巡ることができる場所・作品も多くあります。少し足を伸ばせば《奴奈川キャンパス》《妻有アーカイブセンター》といった見逃せない施設もあるので、腰をすえて巡ってみるのがおすすめです。

MATSUDAI AREA

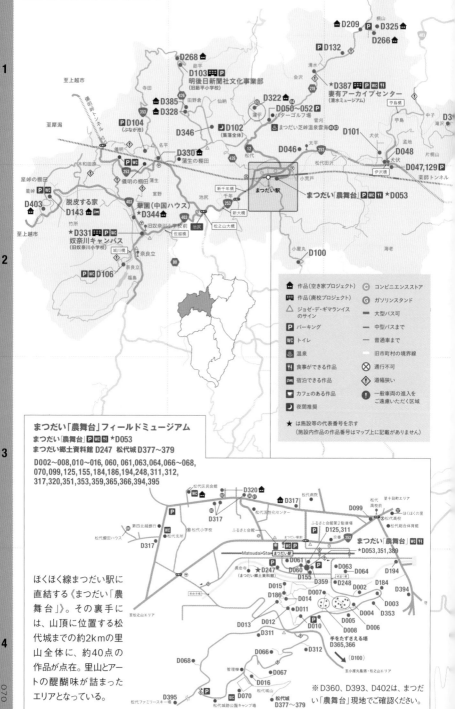

A   **B**   **C**

至上越市
至岸湯
至上越市

D268
D103 明後日新聞社文化事業部（旧蒲原小学校）
D385
D328
P D104（ぶなが池）
D346
D330 蒲生の棚田
脱皮する家
D143
華園（中国ハウス）
★D344
★D331 奴奈川キャンパス（旧奈川小学校）
P WC D106

D209
P D325
D266
D132
清水
会沢
★D387 妻有アーカイブセンター（清水ミュージアム）
D322
D050〜052 P
まつだい芝峠温泉雲海
D101
D046
犬伏
D048
D047,129 P
伊沢橋
薬師トンネル
まつだい「農舞台」P WC Y1 ★D053
まつだい駅
D100
D403

まつだい「農舞台」フィールドミュージアム

まつだい「農舞台」P WC Y1 ★D053
まつだい郷土資料館 D247　松代城 D377〜379

D002〜008,010〜016, 060, 061,063,064,066〜068,
070,099,125,155,184,186,194,248,311,312,
317,320,351,353,359,365,366,394,395

凡例

- 🏠 作品（空き家プロジェクト）
- 🏫 作品（廃校プロジェクト）
- △ ジョゼ・デ・ギマランイスのサイン
- P パーキング
- WC トイレ
- ♨ 温泉
- Y1 食事ができる作品
- 🛏 宿泊できる作品
- ☕ カフェのある作品
- ♪ 夜間推奨
- Ⓒ コンビニエンスストア
- Ⓖ ガソリンスタンド
- ▬ 大型バス可
- ― 中型バスまで
- ― 普通車まで
- ⊗ 通行不可
- ◇ 道幅狭い
- ❗ 一般車両の進入をご遠慮いただく区域
- ★ は施設等の代表番号を示す（施設内作品の作品番号はマップ上に記載がありません）

松代区民会館
WC D320
D317
松代小学校
WC
D317
第四北越銀行
松代桜山ハウス
D317

ほくほく線まつだい駅に直結する《まつだい「農舞台」》。その裏手には、山頂に位置する松代城までの約2kmの里山全体に、約40点の作品が点在。里山とアートの醍醐味が詰まったエリアとなっている。

D317
松代病院
D099
松代高校前
松代高校
松代総合体育館
ふるさと会館第2駐車場
D125,311
まつだい「農舞台」WC Y1
★D053,351,389
P
D061
D060
★D247（まつだい郷土資料館）
D155
D359
D063
D064
D194
D248
D002
D184
D394
D015
D186
D007
D014
D011
D003
D004
D353
D013
D012
D005
D006
D311
D010
D008
手をたずさえる塔
D365,366
D068
D066
D312
（D100）
至松之山集落・松之山エリア
D016
松代城山
D067
管理棟
松代城勝公園キャンプ場
D070
松代城
D377〜379
D395
松代ファミリースキー場

※ D360、D393、D402は、まつだい「農舞台」現地でご確認ください。

★ D053　飲食　ツアーA

設計＝MVRDV（オランダ）
Architectural Design by MVRDV

まつだい雪国農耕文化村センター「農舞台」

［制作年］2003・2021　［MAP］P070/2-B　［場所］十日町市松代3743-1
［時間］9:30-18:00（10月以降は9:30-17:00）※最終入館30分前
［個別鑑賞料］まつだい「農舞台」単館券：（予定）一般600円、小中学生300円
　　　　　　まつだい「農舞台」フィールドミュージアム券（《まつだい「農舞台」》、郷土資料館、《手をたずさえる塔》、松代城）：
　　　　　　（予定）一般1,200円、小中学生600円
［TEL］025-595-6180

イベントも多く開催される、「まつだい『農舞台』フィールドミュージアム」の拠点施設は、オランダの建築家グループ・MVRDVが2003年に設計した。そのコンセプトは「都市と農村の交換」。雪国ならではのつくりとして、1階は開放的なピロティとなっている。（ランチ・カフェの詳細はP125）

カバコフの夢

大地の芸術祭を象徴する作家の一組であるイリヤ&エミリア・カバコフ（イリヤ・カバコフは2023年に逝去）によるプロジェクト。農舞台でのこれまでの発表作に加え、世界の人々と心でつながる場の象徴としての《手をたずさえる塔》を2021年に制作。今回はプロジェクトの一環として、《プロジェクト宮殿》の新作「天井に天国を」を構想した。

作品：《棚田》《10のアルバム 迷宮》《プロジェクト宮殿》《アーティストの図書館》《自分をより良くする方法》《人生のアーチ》《手をたずさえる塔》《手をたずさえる船》《16本のロープ》

キュレーター：鴻野わか菜　実施設計：利光収

D001　ツアーA

イリヤ&エミリア・カバコフ
（旧ソビエト連邦／アメリカ）
Ilya&Emilia Kabakov

棚田

［制作年］2000
［MAP］P070/2-B（★D053）
［場所］まつだい「農舞台」館内

D362　ツアーA

イリヤ＆エミリア・カバコフ
（旧ソビエト連邦／アメリカ）
Ilya&Emilia Kabakov

10のアルバム　迷宮

［制作年］2021
［MAP］P070/2-B（★D053）
［場所］まつだい「農舞台」館内

D364　ツアーA

イリヤ＆エミリア・カバコフ
（旧ソビエト連邦／アメリカ）
Ilya&Emilia Kabakov

アーティストの図書館

［制作年］2021
［MAP］P070/2-B（★D053）
［場所］まつだい「農舞台」館内

D380　ツアーA

イリヤ＆エミリア・カバコフ
（旧ソビエト連邦／アメリカ）
Ilya&Emilia Kabakov

自分をより良くする方法

［制作年］2021
［MAP］P070/2-B（★D053）
［場所］まつだい「農舞台」館内

D363　新展開　ツアーA

イリヤ＆エミリア・カバコフ
（旧ソビエト連邦／アメリカ）
Ilya&Emilia Kabakov

**プロジェクト宮殿
―天井に天国を―**

［制作年］2021・2024
［MAP］P070/2-B（★D053）
［場所］まつだい「農舞台」館内

とある「部屋」に佇む、小さな天国の住人たち

「この世界は、実現された計画、なかば実現された計画、まったく実現されていない計画など、実に多くの計画でできている。」人間の夢や計画を人々の生きた証として捉えて、挫折、失敗した夢も含めて保存する――そんなコンセプトによる本作は、旧ソ連に住む架空の人々の計画や夢を集めた《プロジェクト宮殿》に収められた作品のひとつ。越後妻有を舞台に、やわらかな"天国の世界"を部屋の中につくることを構想した。

D055 ツアーA

ジャン=リュック・ヴィルムート（フランス）
Jean-Luc Vilmouth

カフェ・ルフレ

[制作年] 2003
[MAP] P070/2-B（★D053）
[場所] まつだい「農舞台」館内

D054 屋外 ツアーA

ジョセップ・マリア・マルティン（スペイン）
Josep Maria Martin

まつだい住民博物館

[制作年] 2003
[MAP] P070/2-B（★D053）
[場所] まつだい「農舞台」館内・周辺

D057 ツアーA

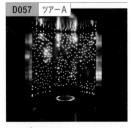

ファブリス・イベール（フランス）
Fabrice Hybert

火の周り、砂漠の中

[制作年] 2003
[MAP] P070/2-B（★D053）
[場所] まつだい「農舞台」館内

D058 **D218** ツアーA

河口龍夫（日本）
Kawaguchi Tatsuo

関係―黒板の教室（教育空間）

引き出しアート

[制作年] 2003・2021（★D053）
[MAP] P070/2-B
[場所] まつだい「農舞台」館内

D389 屋外 ツアーA

ドットアーキテクツ（日本）
dot architects

フィールドミュージアムのための
furniture

[制作年] 2022　[MAP] P070/2-B
[場所] まつだい「農舞台」ピロティ

D359 屋外 ツアーA

東弘一郎（日本）
Azuma Koichiro

廻転する不在

[制作年] 2021　[MAP] P070/2-B
[場所] まつだい「農舞台」周辺

D311 屋外 ツアーA

松田重仁（日本）
Matsuda Shigehito

円―縁―演

[制作年] 2003・2015
[MAP] P070/2-B
[場所] まつだい「農舞台」周辺

D351 屋外 ツアーA

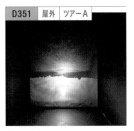

淺田創（日本）
Asada Tsukuru

Camera Obscura Project

[制作年] 2017　[MAP] P070/2-B
[場所] まつだい「農舞台」ピロティ

D155 屋外 ツアーA

大西治・大西雅子（日本）
Ohnishi Osamu, Ohnishi Masako

ゲロンパ大合唱

[制作年] 2009　[MAP] P070/2-B
[場所] まつだい「農舞台」周辺

★D247 ツアーA

まつだい郷土資料館

［制作年］2003　　［MAP］P070/2-B
［場所］十日町市松代3718
［個別鑑賞料］（予定）一般400円、
　　　　　　　　小中学生200円
［TEL］025-597-2138

木造2階建てで囲炉裏や座敷を有する、けやき造りの古民家を移設した郷土資料館。この地を象徴する民具や農具、松代の歴史・暮らしがわかる資料を展示・収蔵している。

D392　新作　ツアーA

尾花賢一（日本）
Obana Kenichi

まつだい郷土しりょう館

［制作年］2024
［MAP］P070/2-B（★D247）
［場所］まつだい郷土資料館

**「しりょう」から広がる
摩訶不思議な物語**
人々の営みや伝承、土地の風景や歴史を題材に発表を続ける作家による、郷土資料館での展示。テーマとなるのは「しりょう」という言葉と、資料館の歩みだ。ドローイングや立体作品といった館内展示を通じ、「資料」という言葉そのものの意味や役割、価値について考察。そして「史料」「飼料」「試料」「死霊」……同音異議の言葉へ展開しながら「館内の展示品や施設に異なる視点と気づきを発生させ、場所に潜む固有の物語を炙り出していく」（作家コメント）。

まつだい「農舞台」フィールドミュージアム

D061 屋外 ツアーA

草間彌生（日本）
Kusama Yayoi

花咲ける妻有

[制作年] 2003 　[MAP] P070/2-B
[場所] まつだい「農舞台」周辺

D125 屋外 ツアーA

オノレ・ドゥオー（ベルギー）
Honoré d'O

地震計

[制作年] 2006 　[MAP] P070/2-B
[場所] まつだい「農舞台」周辺

D060 屋外 ツアーA

小沢剛（日本）
Ozawa Tsuyoshi

かまぼこアートセンター

[制作年] 2003 　[MAP] P070/2-B
[場所] まつだい「農舞台」周辺

D393 新作 屋外

田中央工作群 + 田熊隆樹（台湾、日本）
Fieldoffice Architects + Taguma Ryuki

大地に抱かれるフィールドミュージアム

[制作年] 2024
[MAP] 場所はまつだい「農舞台」現地でご確認ください
[場所] まつだい「農舞台」フィールドミュージアム

より穏やかに過ごせるエリアへ
建築家・黄聲遠率いる建築設計事務所と建築家・田熊による、城山エリアの新しい空間設計。作品巡りをする足どりを軽くするのは、自然の中で休めるような空白の場所。そんな構想のもと、ゆったりとした時間の流れる空間を長期的に目指していく。

D360 屋外

松代山ぞり隊＋堀川紀夫（日本）
Matsudai Yamazori-tai+Horikawa Michio

山ぞり夏まつり

[制作年] 2022
[MAP] 場所はまつだい「農舞台」現地でご確認ください
[場所] まつだい「農舞台」周辺
[開催日] 7/28（日）10:00-16:00

力を合わせて滑らす、夏のそり遊び
かつて雪国での生活に不可欠だった、運搬や交通手段としての「山ぞり」。大勢の力を必要とするその作業は、地域集落の協働のシンボルでもあった。そんな山ぞりを夏仕様で再生。人を乗せ、引いて滑らせ、地域住民と一緒に楽しむイベントを開催する。

D248 屋外

ジョゼ・デ・ギマランイス（ポルトガル）
José de Guimarães

イエローフラワー

[制作年] 2012 [MAP] P070/2-B
[場所] まつだい「農舞台」フィールドミュージアム

D402 新作 屋外

前山忠（日本）
Maeyama Tadashi

視界／覗き灯篭

[制作年] 2024
[MAP] 場所はまつだい「農舞台」現地でご確認ください
[場所] まつだい「農舞台」フィールドミュージアム

フレームの奥に広がる新たな風景
視界を切り取る仕掛けとして「フレーム」を設置し、新たな視覚体験をもたらす2作品。何の変哲もない石柱に丸と四角の穴が空けられた「覗き灯篭」では、覗くと望遠鏡のように遠くの風景が目前に迫ってくる仕掛けが楽しめる。

D063 屋外

歳森勲（日本）
Toshimori Isao

旅人の迷路

[制作年] 2003 [MAP] P070/2-B
[場所] まつだい「農舞台」フィールドミュージアム

D064 屋外

井上廣子（日本）
Inoue Hiroko

記憶 － 再生

[制作年] 2003 [MAP] P070/2-B
[場所] まつだい「農舞台」フィールドミュージアム

D015 屋外

白井美穂（日本）
Shirai Mio

西洋料理店 山猫軒

[制作年] 2000 [MAP] P070/2-B
[場所] まつだい「農舞台」フィールドミュージアム

D002 屋外

クリスチャン・ラピ（フランス）
Christian Lapie

砦 61

[制作年] 2000 [MAP] P070/2-B
[場所] まつだい「農舞台」フィールドミュージアム

D353 屋外

ジョン・クルメリング (オランダ)
John Körmeling

hi 8 way

［制作年］2018　［MAP］P070/2-B
［場所］まつだい「農舞台」
　　　フィールドミュージアム

D006 屋外

大岩オスカール
（ブラジル／アメリカ）
Oscar Oiwa

かかしプロジェクト

［制作年］2000　［MAP］P070/2-B
［場所］まつだい「農舞台」
　　　フィールドミュージアム

D003 屋外

田中信太郎 (日本)
Tanaka Shintaro

○△□の塔と赤とんぼ

［制作年］2000　［MAP］P070/2-B
［場所］まつだい「農舞台」
　　　フィールドミュージアム

D184 屋外

パスカル・マルティン・タイ
ユー（カメルーン／ベルギー、フランス）
Pascale Marthine Tayou

リバース・シティー

［制作年］2009　［MAP］P070/2-B
［場所］まつだい「農舞台」
　　　フィールドミュージアム

D004 屋外

立木泉 (日本)
Tachiki Izumi

水のプール

［制作年］2000　［MAP］P070/2-B
［場所］まつだい「農舞台」
　　　フィールドミュージアム

D005 屋外

河口龍夫 (日本)
Kawaguchi Tatsuo

関係ー大地・北斗七星

［制作年］2000　［MAP］P070/2-B
［場所］まつだい「農舞台」
　　　フィールドミュージアム

D186 屋外

チャールズ・ビラード
（カナダ／日本）
Charles-Eric Billard

スペース・スリター・オーケストラ

［制作年］2009　［MAP］P070/2-B
［場所］まつだい「農舞台」
　　　フィールドミュージアム

D013 屋外

小林重予 (日本)
Kobayashi Shigeyo

あたかも時を光合成するように
降りてきた～レッドデーターの植
物より

［制作年］2000　［MAP］P070/2-B
［場所］まつだい「農舞台」
　　　フィールドミュージアム

D014 屋外

橋本真之 (日本)
Hashimoto Masayuki

雪国の杉の下で

［制作年］2000　［MAP］P070/2-B
［場所］まつだい「農舞台」
　　　フィールドミュージアム

牛島達治（日本）
Ushijima Tatsuji

観測所

［制作年］2000　［MAP］P070/2-B
［場所］まつだい「農舞台」
　　　　フィールドミュージアム

マダン・ラル（インド）
Madan Lal

平和の庭

［制作年］2000　［MAP］P070/2-B
［場所］まつだい「農舞台」
　　　　フィールドミュージアム

CLIP（日本）
CLIP

遊歩道整備計画

［制作年］2000　［MAP］P070/2-B
［場所］まつだい「農舞台」
　　　　フィールドミュージアム

伊藤誠（日本）
Ito Makoto

夏の三日月

［制作年］2000　［MAP］P070/2-B
［場所］まつだい「農舞台」
　　　　フィールドミュージアム

依田久仁夫（日本）
Yoda Kunio

希望という種子（シュジ）

［制作年］2000　［MAP］P070/2-B
［場所］まつだい「農舞台」
　　　　フィールドミュージアム

トビアス・レーベルガー（ドイツ）
Tobias Rehberger

フィヒテ（唐檜）

［制作年］2003　［MAP］P070/2-B
［場所］まつだい「農舞台」
　　　　フィールドミュージアム

イリヤ&エミリア・カバコフ
（旧ソビエト連邦／アメリカ）
Ilya&Emilia Kabakov

人生のアーチ

［制作年］2015　［MAP］P070/2-B
［場所］まつだい「農舞台」
　　　　フィールドミュージアム

イリヤ&エミリア・カバコフ
（旧ソビエト連邦／アメリカ）
Ilya&Emilia Kabakov

手をたずさえる塔／手をたずさえる船

［制作年］2021　［MAP］P070/2-B
［場所］まつだい「農舞台」フィールドミュージアム　［点灯］日没〜21:00
［個別鑑賞料］フィールドミュージアム券（一般1,200円、小中学生600円）に含む

D067 屋外

柳澤紀子（日本）
Yanagisawa Noriko

融（とおる）

［制作年］2003　［MAP］P070/2-B
［場所］まつだい「農舞台」
　　　フィールドミュージアム

D066 屋外

チャン・ユンホ［張永和］＋
非常建築（中国）
Chang Yung Ho + Atelier FCJZ

米の家

［制作年］2003　［MAP］P070/2-B
［場所］まつだい「農舞台」
　　　フィールドミュージアム

D016 屋外

メナシェ・カディシュマン
（イスラエル）
Menashe Kadishman

木

［制作年］2000　［MAP］P070/2-B
［場所］まつだい「農舞台」
　　　フィールドミュージアム

D070 屋外

ペリフェリック（フランス）
Périphériques

まつだいスモールタワー

［制作年］2003　［MAP］P070/2-B
［場所］まつだい「農舞台」
　　　フィールドミュージアム

松代城

［場所］まつだい「農舞台」
　　　フィールドミュージアム
［個別鑑賞料］フィールドミュージアム券
　　　（一般1,200円、
　　　小中学生600円）に含む
　　　※ D377, D378, D379を含む

まつだい「農舞台」フィールドミュー
ジアムの頂上、標高は384mの
城。上杉謙信が支城としたとされる
「松代城」跡にある、天守を模し
た展望台である。

D377

エステル・ストッカー（イタリア）
Esther Stocker

憧れの眺望

［制作年］2021　［MAP］P070/2-B
［場所］松代城

D378

豊福亮（日本）
Toyofuku Ryo
樂聚第

［制作年］2021　［MAP］P070/2-B
［場所］松代城

D379

鞍掛純一＋日本大学藝術
学部彫刻コース有志（日本）
Kurakake Junichi + Nihon
University College of Art
Sculpture Course

脱皮する時

［制作年］2021　［MAP］P070/2-B
［場所］松代城

D395 新作 屋外

増田啓介＋増田良子 (日本)
Masuda Keisuke+Masuda Ryoko

シシの子落とし

[制作年] 2024　[MAP] P070/2-B
[場所] 松代ファミリースキー場 中腹
　　※スキー場駐車場からはアクセス不可
　　（アクセス詳細はP070をご確認ください）
[イベント]「モミヤンマ君」制作ワークショップを開催予定、
　　詳細は公式HP

地形を活かし「シシの子落とし」の世界観を体感
ネットでつくる巨大なぬいぐるみのような袋をゲレンデ斜面に設置し、大量のモミガラと一緒に袋の中に入る体験型作品。「現実には『子落とし』のような思い切りはなかなかできないけれど、トンボを使って少しずつ袋の重心を動かしてみたり、モミガラに埋まってみたり……訪れた人の作業で景色も変わってゆく。トンボの警戒色に守られて、米袋の上でゴロンとまどろむこともできる」（作家コメント）

D394 新作 屋外

ロジャー・リゴース
（スイス／ドイツ）
Roger Rigorth

ダブル・チェンバー

[制作年] 2024　[MAP] P070/2-B
[場所] 小荒戸

絡み、つながり合う二重の"部屋"
「私たち自身と自然との関係の象徴」でもあるという本作は、"時間・動き・変化"といったテーマのもと繊維や石などの自然素材を使った彫刻・インスタレーションを手がける作家によるオブジェ。絶妙な佇まいで組み合わさるふたつのチェンバー（部屋）は「すべての生態系問題は一見分離しているように見えるが、私たちはひとつであり、またはその一部なのかもしれない」（作家コメント）といった問いかけをはらんでいる。

関根哲男（日本）
Sekine Tetsuo

帰ってきた赤ふん少年

［制作年］2009 ［MAP］P070/2-B
［場所］小荒戸

D099 屋外

土屋公雄（日本）
Tsuchiya Kimio

創作の庭

［制作年］2003 ［MAP］P070/2-B
［場所］松代高校前

村木薫（日本）
Muraki Kaoru

松代商店街周辺における土壁
による修景プロジェクト

［制作年］2000〜2015
［MAP］P070/2-B
［場所］松代商店街

**「時の蘇生」柿の木プロジェク
ト実行委員会**（日本）
"Revive Time", Kaki Tree Project
Executive Committee

「時の蘇生」柿の木プロジェクト
in 松代

［制作年］2000 ［MAP］P070/1-B
［場所］太平

**ジャン＝ミッシェル・アルベ
ローラ**（アルジェリア／フランス）
Jean-Michel Alberola

リトル・ユートピアン・ハウス

［制作年］2003 ［MAP］P070/2-B
［場所］小屋丸

**ジョセップ・マリア・マルティ
ン**（スペイン）
Josep Maria Martin

ミルタウン・バスストップ

［制作年］2000 ［MAP］P070/1-C
［場所］犬伏 バス停

D320 新展開 ツアーE

豊福亮（日本）
Toyofuku Ryo

黄金の遊戯場

［制作年］2015〜 ［MAP］P070/2-B
［場所］松代商店街
［個別鑑賞料］一般400円、小中学生200円

金ピカ空間で味わう、しばしの休息？
商店街の一角の小道に入ると、1軒
の空き家が。畳と白い壁を抜けて壁
の奥に足を踏み入れると……広がる
のは得体の知れない、豪華絢爛な空
間。日用品や工業品を題材にしたこ
の遊戯場では、レトロなインベーダー
ゲームや麻雀台で実際に遊ぶことも
できる。

| D396 | 新作 | 屋外 |

雨宮庸介（日本）
Amemiya Yosuke
シ竜シ尺
（たきざわ）

［制作年］2024
［MAP］P070/1-C
［場所］滝沢
［公開日］7/13（土）-11/10（日）の金土日
［個別鑑賞料］一般600円、小中学生300円
※VR作品の鑑賞方法などは公式HP
をご確認ください

「滝沢集落」とそこにいる
「あなた自身」をVRで体験する
家同士の間隔が空いた風通し
の良さや集落をとり囲む尾根な
ど、中景が独特な滝沢集落にイ
ンスピレーションを受けた作品。
日常にありふれた事象から現実
と虚構の往復をうながす作品を
数多く制作してきた作家は、通常
「ここではないどこか」に行くた
めのVR機器を、本作では「どこ
かではないここ」に注目する機器
と捉え直す。「世界とは」「芸術
とは」「集落とは」さらに「あなた
自身とは」ということを鑑賞者に
問いかける体験を提供する。

| D047 | 屋外 |

トーマス・エラー（ドイツ）
Thomas Eller

人 自然に再び入る

［制作年］2000 ［MAP］P070/2-C
［場所］犬伏

| D129 | 屋外 |

塩澤宏信（日本）
Shiozawa Hironobu

イナゴハビタンボ

［制作年］2006 ［MAP］P070/2-C
［場所］犬伏

| D101 | 屋外 |

塩澤宏信（日本）
Shiozawa Hironobu

翼／飛行演習装置

［制作年］2003 ［MAP］P070/1-C
［場所］犬伏

ツアーE

華園（中国ハウス）
(かえん)

[制作] 2016　[場所] 十日町市室野1320-1　[MAP] P070/2-A
[個別鑑賞料] 一般400円、小中学生200円

とある空き家を改修し、2016年に生まれたこの拠点。第7・8回展の芸術祭では、ウー・ケンアン［邬建安］が作品を展示した。中国作家の展示や制作の場として活用されている。
企画：HUBART（瀚和文化）

★D344　ツアーE

ウー・ケンアン［邬建安］(中国)
Wu Jian'an

五百筆

[制作年] 2018　[MAP] P070/2-A　[場所] 華園（中国ハウス）

資料展示「10年8冊」
プロジェクトの軌跡を展示
華園（中国ハウス）プロジェクトの始動から今日までの活動を記した「華園通信」を発行し続け、10年で8冊が完成。10年の節目に、約100名の関わった作家、プロジェクトの歴史がここに特別なかたちであらわれる。

D401　新作　屋外　ツアーE

マ・ヤンソン／
MADアーキテクツ(中国)
Ma Yansong / MAD Architects

野辺の泡

[制作年] 2024
[MAP] P070/2-A（★D344）
[場所] 華園（中国ハウス）

立ち並ぶ民家に出現する"泡"から見えるのは？
自然に囲まれた伝統的な民家が並ぶ風景に突如あらわれるのは、会場内部から噴き出す巨大な「泡」。これは建築事務所・MADアーキテクツを創設し、建築を通して人・都市・自然との新たな関係性をつくり出すマ・ヤンソンが手がける、ランドスケープ作品。来場者は半透明なフィルムで覆われた泡の内部に入ることができる。そこから見えるのは、この地に芸術祭の間だけにあらわれる、儚い風景。内から外から、その唯一無二の空間を体験できる。

★ D331 ツアーA
改修設計＝山岸綾（日本）
Renovation Designed by
Yamagishi Aya
奴奈川キャンパス

D334 ツアーA

ターニャ・バダニナ（ロシア）
Tanya Badanina
レミニッセンス（おぼろげな記憶）
[制作年] 2015
[MAP] P070/2-A（★ D331）
[場所] 奴奈川キャンパス

[制作年] 2015　[MAP] P070/2-A
[場所] 十日町市室野576（旧奴奈川小学校）
[公開日] 火水以外 ※9/7（土）のみ臨時休館
[個別鑑賞料] 一般800円、小中学生400円
[イベント] 体操やサッカー、工作、ダンスなど多様なワークショップを開催予定。
　　　　　※詳細は公式HPをご確認ください

ここは"子ども五感体験美術館"！ デジタル化により人がリアルな素
材と触れ合う機会が減る中で、未来を担う子どもたちが木、光、音など
の根源的な要素を五感で体験できる場を作家とともに創出する。FC
越後妻有の活動拠点でもあり、会期中には《大地の運動会》（P120）
も開催！
（ランチの詳細はP126）

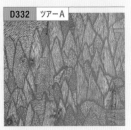

D332 ツアーA

**鞍掛純一＋日本大学藝術
学部彫刻コース有志**（日本）
Kurakake Junichi+ Nihon
University College of Art
Sculpture Course

大地のおくりもの
[制作年] 2015・2018
[MAP] P070/2-A（★ D331）
[場所] 奴奈川キャンパス

D340 ツアーA

南極ビエンナーレ‒ フラム号2
[制作年] 2018
[MAP] P070/2-A（★ D331）
[場所] 奴奈川キャンパス
キュレーター：アレクサンドル・ポノマリョフ

D348 ツアーA

ウー・ケンアン［鄔建安］
（中国）
Wu Jian'an
彩風
[制作年] 2017
[MAP] P070/2-A（★ D331）
[場所] 奴奈川キャンパス

D338 屋外 ツアーA

鞍掛純一（日本）
Kurakake Junichi
はなしるべ
[制作年] 2018
[MAP] P070/2-A（★ D331）
[場所] 奴奈川キャンパス 周辺

D397 新作 ツアーA

鞍掛純一＋日本大学藝術学部彫刻コース有志（日本）
Kurakake Junichi+ Nihon University College of Art Sculpture Course
木湯
[制作年] 2024　[MAP] P070/2-A（★D331）
[場所] 奴奈川キャンパス

「木」に学び、「木」と遊ぶ空間を堪能
2004年より《脱皮する家》の制作のため松代地域に通い、交流を深めてきた彫刻家がつくる、木の温もりに包まれた遊び場。室内は木球に浸かれる「木湯」を中心に、妻有各地の温泉をイメージした銭湯のようなしつらえに。触感や香りなどさまざまな感覚を通して木を体感できる。触って遊べるおもちゃも多数展開する。

D398 新作 ツアーA

「惑星トラリス」BankART KAIKO 2023

松本秋則＋松本倫子（日本）
Matsumoto Akinori + Matsumoto Michiko
惑星トラリス in 奴奈川キャンパス
[制作年] 2024　[MAP] P070/2-A（★D331）
[場所] 奴奈川キャンパス

"音楽と覗き穴"、"意識の雲"……とある惑星を具現化するあちこちから奏でられる音楽や、色とりどりに降り注ぐ雨。無数の覗き穴から見える懐かしい集落の風景に、目を覆うほど鮮やかな色の世界——。そこは、竹を素材にサウンドオブジェを創作する松本秋則と、猫をモチーフにした作品でしられる松本倫子が生み出す、架空の惑星「トラリス」。想像力を刺激する多彩なオブジェが集う世界が広がる。

`D399` `新作` `ツアーA`

瀬山葉子 (日本)
Seyama Yoko

Saiyah #2.10

[制作年] 2024
[MAP] P070/2-A (★D331)
[場所] 奴奈川キャンパス

光が反射し行き交う、幻想的な空間へ
ベルリンを拠点にマルチメディア・アーティストとして活躍する瀬山による、光のインスタレーション。回転するガラス板を利用し、白色光を分光、再混合することで、いくつもの色彩構成が進化し続け、色彩によるパフォーマンスが空間に繰り広げられる。「光の色彩による刺激を来場者に味わってほしい」という作家の思いから、会場では分光ガラスを手に取ることでそのパフォーマンスに参加できる。

`D400` `新作` `ツアーA`

関口光太郎 (日本)
Sekiguchi Kotaro

除雪式奴奈川姫

[制作年] 2024
[MAP] P070/2-A (★D331)
[場所] 奴奈川キャンパス

伝承の中の姫が、除雪車と出会ったとき
新聞紙とガムテープを用いて物語性のある作品をつくってきた作家が、冬の越後妻有で見聞きしたのは「奴奈川姫伝説」と除雪。いやな求婚者から逃れるために奴奈川の地を訪れたという伝説の姫に、「逃げていたのがもし冬ならば、除雪しながらだっただろう」という空想のもと除雪車を合体させた。来場者は雪のように会場内に敷き詰められた新聞紙を使って、自由に工作できる。

D106 屋外

ホルヘ・イスマイル・ロドリゲス（メキシコ）
Jorge Ismael Rodriguez

自然と文化の出会う公園

[制作年] 2003　[MAP] P070/2-A
[場所] 奈良立

D330

イ・ブル（韓国）
Lee Bul

ドクターズ・ハウス

[制作年] 2015・2018
[MAP] P070/1-A
[場所] 蒲生
[個別鑑賞料] 一般400円、小中学生200円

D104 屋外

保科豊巳（日本）
Hoshina Toyomi

ぶなが池植物公園
「マザーツリー空中庭園」

[制作年] 2003　[MAP] P070/1-A
[場所] ぶなが池植物公園

まつだい芝峠温泉 雲海 周辺

D050 屋外

江上計太（日本）
Egami Keita

ジャック・イン・ザ・ボックス
まつだいヴァージョン

[制作年] 2000
[場所] まつだい芝峠温泉 雲海 周辺

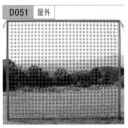

D051 屋外

フランシスコ・インファンテ
（ロシア）
Francisco Infante

視点

[制作年] 2000　[MAP] P070/1-B
[場所] まつだい芝峠温泉 雲海 周辺

D052 屋外

郷晃（日本）
Go Akira

回廊…時の水脈

[制作年] 2000　[MAP] P070/1-B
[場所] まつだい芝峠温泉 雲海 周辺

D322

大巻伸嗣（日本）
Ohmaki Shinji
影向の家

[制作年] 2015　[MAP] P070/1-B
[場所] 蓬平
[公開日] 7/13（土）〜9/1（日）の土日
[個別鑑賞料] 一般400円、小中学生200円

古民家を使った
継続作品の最終回
冬に越後妻有を訪れた作家が、
雪が水へと変わる状態を目にし、
影向の松に着想を得てつくられた
作品。今回で公開が最後となる
ため、神秘的な空間をお見逃しな
く。

D102 屋外 夜間のみ

マーリア・ヴィルッカラ
（フィンランド）
Maaria Wirkkala

ファウンド・ア・メンタル・
コネクション3
全ての場所が世界の真
ん中

［制作年］2003
［MAP］P070/1-B
［場所］蓬平
［点灯］日没〜

D143 ツアーE 宿泊

鞍掛純一＋日本大学藝術
学部彫刻コース有志（日本）
Kurakake Junichi + Nihon University
College of Art Sculpture Course

脱皮する家

［制作年］2006 ［MAP］P070/2-A
［場所］十日町市峠776 ［時間］11:00-16:00
［個別鑑賞料］一般400円、小中学生200円
※ D403を含む（宿泊の詳細はP128）

D403 新作 ツアーE

椛田ちひろ＋有理（日本）
Kabata Chihiro + Yuuri

空知らぬ雪

［制作年］2024 ［MAP］P070/2-A
［時間］11:00-16:00
［場所］十日町市峠817
［個別鑑賞料］一般400円、小中学生200円
　　　　※ D143を含む

"空へ舞い散る雪"が象徴するもの

対話による制作を軸とする姉妹作家が、人々の生活と雪をモチー
フに表現するインスタレーション。豪雪を経験した作家が「人々
が稼働させる除雪機が、雪を空へ返していく装置にも見えた」
ことに端を発し、除雪機の刃をイメージしたオブジェクトから雪が
渦を巻き舞い散って、そして人々の営みに還元されていく物語
を表現する。

協力：リキテックス

D385 新展開

石松丈佳 (日本)
Ishimatsu Takeyoshi
楽暮 D.I.Y.の家 iju

[制作年] 2022〜　[MAP] P070/1-B
[場所] 十日町市田野倉1380
[個別鑑賞料] 一般400円、小中学生200円 ※ D328を含む
[イベント] カフェiju 営業日：8/3（土）〜9/1（日）の土日
田野倉ン：8/31（土）

暮らしや移住のヒントを伝授
集落住民とデザイナーの支援により、D.I.Y.をキーワードにオープンした施設。移住者や観光客、集落の暮らしや移住に興味をもつ方に向け、集落の人と出会える、食を楽しめる、暦を体験できる（田植え、盆踊り）など、多角的な活動やイベントを通して田野倉集落の魅力を発信している。

D346 新展開 屋外

石松丈佳 (日本)
Ishimatsu Takeyoshi
棚田階段

[制作年] 2012〜
[MAP] P070/1-B
[場所] 田野倉公園

風景との関わりを緩やかにつなぐ展望デッキ
田野倉公園にある「すべらない神様」は、合格祈願などをはじめ多くの人々が参拝に訪れる場所。かつて地滑りが多かった田野倉集落で祠を建ててお祓いしたところ、地滑りが止んだことで信仰を集めたという。その場所で、環境の特質・資源を活用したデザインに関する研究をテーマに活動する石松が「展望デッキ」を計画。開放的な景色が広がる環境をデザインの力で彩る。（画像イメージは2024年3月現在）

D328

アネット・メサジェ (フランス)
Annette Messager

つんねの家のスペクトル

[制作年] 2015　[MAP] P070/1-B
[場所] 十日町市田野倉1286
[個別鑑賞料] 一般400円、小中学生200円
※ D385を含む

★D387 飲食 ツアーE

妻有アーカイブセンター

［制作年］2009〜 ［MAP］P070/1-B
［場所］十日町市清水718（清水ミュージアム）
［個別鑑賞料］一般600円、小中学生300円

旧清水小学校では、2009年から川俣正を中心に活動を継続し、第8回展にアーカイブ／ライブラリー施設としてアップデート。作品展示に加え、北川フラムがディレクターを務める地域芸術祭や各地のアートプロジェクトの資料、美術評論家・故中原佑介の寄贈書を含む約3万冊のアーカイブ施設となっている。今回、施設では川俣正のアーカイブを一挙公開。中でも初期の重要なプロジェクト「テトラハウスプロジェクト1983」の資料を、センターの保管資料と新規収集資料のすべてを展示。旧体育館のアトリエギャラリーでは1/2ほどの模型を再制作する。

D388 新展開 屋外 ツアーE

川俣正（日本／フランス）
Kawamata Tadashi

Extend snow fence in Tsumari 2024 夏

［制作年］2022〜
［MAP］P070/1-B（★D387）
［場所］妻有アーカイブセンター

妻有の西日に輝くフェンスを
同館にて前回展で制作した《スノーフェンス》を延長し、鉄板のフェンスをグラウンド側の側面まで流れるように取り付けて制作。地元の方のアイデアで、それは西日を浴びて輝くという。屋内では、新規展示となる作家のプロジェクト資料も展示する。

D358 新展開 ツアーE

〈エディション・ノルト｜ファクトリーdddd：被包摂、絡合、派生物〉／会場構成〈秋山ブク｜シチュエーションズ 7番：京都dddギャラリーの備品による〉京都dddギャラリー 2023
（カフェの詳細はP126）

edition.nord（日本）
edition.nord

清水プロジェクト：ジャパン・フォーカス・ライブラリー 2024＋秋山ブク「シチュエーションズ 8番」＋Café Bricolage

［制作年］2015〜 ［MAP］P070/1-B（★D387）
［場所］妻有アーカイブセンター

2022年に設置したライブラリーを更新
出版レーベル／デザイン・ユニットであるedition.nordが同地の展示に新しいコレクションを追加、展示販売を行う。コンペティション「プロトタイプ・ブック・アワード」の開催と受賞作展示も予定している。

`D404` 新作 屋外 ツアーE

竹内公太 （日本）
Takeuchi Kota

水泥棒

[制作年] 2024
[MAP] P070/1-B（★D387）
[場所] 妻有アーカイブセンター

越後妻有の"石碑"に宿る記録や記憶
時間的・空間的隔たりを越える題材を探求しながら創作活動を展開する作家による、映像インスタレーション。作家は、「石には自然への畏怖や祈りが刻まれ、事故や災害、戦争といった忘れ得ない記憶が刻まれる」と、越後妻有地域に多く存在する石仏や石碑などの石造物を撮影。そこで培われたエッセンスをもとに制作している。

`D103` 新展開 `D268` ツアーE

日比野克彦 （日本）
Hibino Katsuhiko

明後日新聞社文化事業部／
想像する家

[制作年] 2003〜 [MAP] P070/1-B
[場所] D103：十日町莇平550-1（旧莇平小学校）
D268：十日町市莇平478
[個別鑑賞料] 一般600円、小中学生300円

地域の名物"明後日新聞"と、朝顔のカーテンを
「明後日新聞社文化事業部」は、昨年で20周年を迎えた。設立当初から継続している、莇平集落を題材にした「明後日新聞」は200回以上刊行されており、ここではそのアーカイブを見ることができる。地域住民と朝顔を育てる「明後日朝顔」プロジェクトも毎年行われ、夏は校舎の片面を覆う朝顔のカーテンを楽しめる。今回も、集落のお盆行事に合わせて作家によるイベント「ヒビノウィーク」を開催予定。

D132 屋外

リチャード・ディーコン (イギリス)
Richard Deacon

マウンテン

[制作年] 2006　[MAP] P070/1-C
[場所] 桐山

D266 ツアーE

マーリア・ヴィルッカラ
（フィンランド）
Maaria Wirkkala

ブランコの家

[制作年] 2012　[MAP] P070/1-C
[場所] 桐山
[個別鑑賞料] 一般600円、小中学生300円
　　　　　　※ D209を含む

D209 ツアーE

クロード・レヴェック (フランス)
Claude Lévêque

静寂あるいは喧騒の中で／
手旗信号の庭

[制作年] 2009　[MAP] P070/1-C
[場所] 桐山
[個別鑑賞料] 一般600円、小中学生300円
　　　　　　※ D266を含む

D325 新展開 ツアーE

BankART1929＋みかんぐみ＋
神奈川大学曽我部研究室 (日本)
BankART1929+MIKAN+Kanagawa University Sogabe lab.

BankART 妻有2024「創造的修復と交信」

[制作年] 2006〜　[MAP] P070/1-C　[場所] 桐山
[展示作家] 橋本貴雄、あいかわさとうかねこ、淺井裕介、池田拓馬、磯崎道佳、牛島智子、開発好明、片岡純也＋岩竹理恵、木村崇人、熊澤桂子、幸田千依、櫻井かえで、進藤環、自動車部／KOSUGE1-16、白井美穂、スタジオニブロール、田中信太郎、野老朝雄、中谷ミチコ、中原浩大、PHスタジオ、原口典之、東野哲史、藤本涼、松本秋則、丸山純子、村田真、水口鉄人、山下拓也、ヤング荘、吉川陽一郎ほか

家を延命させる、創造的な補修を試みる
2005年に築100年の農家を購入し、建築チーム「みかんぐみ」や作家たちとともに小さなアートスペースにリノベーション。横浜を拠点に活動するBankARTが手がけるこの「桐山の家」は、地震や雪の影響で年々老朽化が進んでいる。そうした状況から「大改修ではなく、創造的な家の延命作業をしたい」と、"創造的補修"を追求していくという。また今回は庭の納屋にて、2023年から桐山に住む写真家・橋本貴雄の作品を展示。会期中にはワークショップやトークイベントなども企画している。

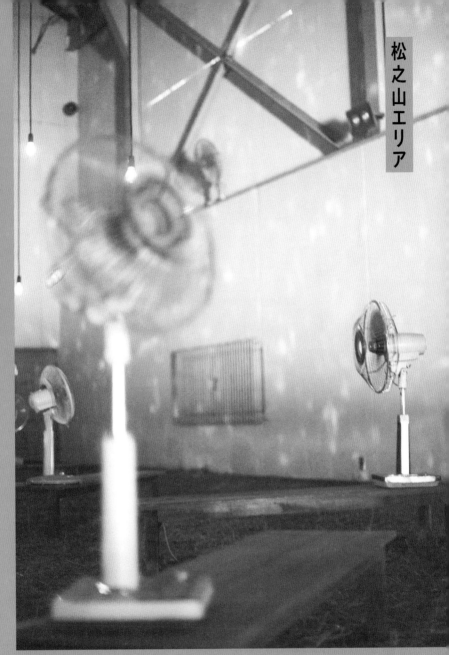

松之山エリア

西側にある松之山エリアは、日本三大薬湯のひとつ松之山温泉でしられる地。山間部の棚田や、ブナの木が並ぶ美人林、大厳寺高原といった魅力的な自然スポットも揃っています。そこで出会えるのは《越後松之山「森の学校」キョロロ》や、宿泊施設・三省ハウス、クリスチャン・ボルタンスキーとジャン・カルマンによる廃校全体を使った壮大な作品《最後の教室》、大厳寺高原に立ち並ぶ作品群など芸術祭を象徴する施設・作品の数々。旅の中心地点として、越後妻有の風土と作品を存分に味わえるエリアです。

MATSUNOYAMA AREA

Y026
新大橋
403 池尻
松之山大橋

80
水梨 大荒戸
小谷 小谷
353 WC 堺松
三省ハウス 松口 美人林
（旧三省小学校） 松之山高校前 350
★Y109 松之山支所前 越後松之山
黒倉 「森の学校」キョロロ P WC
Y120 39 醸す森 三桶 ★Y019
渋 大宮 Y029 三桶橋 坪野 松之山赤倉
海 湯之島 大棟山美術博物館 松之山
川 湯田温泉 松之山支所 五十子平 427
渋海リバーサイドゆのしま 公民館・体育館 早瀬橋 松之山
中島橋 湯山 標語 高館トンネル
豊田 湯山 Y121 膳内名 家の記憶
夢の家 Y118 下鰕池 Y072 P
浦田 松之山温泉 80 豊原橋 上鰕池
243 Matsunoyama ナステビュウ湯の山 東川 WC 宝橋
405 Onsen 布川大橋
オーストラリア・ハウス Y011 P WC 最後の教室
★Y082,A003 松之山温泉入口 359 ★Y052 P WC
Y106 藤倉 （上布川コミュニティ施設・旧東川小学校）
至上越市 Y013,035,A003 Y012 中尾 豊原トンネル
to Joetsu City 松之山温泉組合
Y068 49 67 67
天水島
405 天水越 天水トンネル
▲越後妻有大厳寺高原キャンプ場
P WC 405
Y003
Y065 38 Y005
Y002 Y006

凡例

🏠	作品（空き家プロジェクト）		Ⓒ	コンビニエンスストア
🏫	作品（廃校プロジェクト）		Ⓖ	ガソリンスタンド
△	ジョゼ・デ・ギマランイスのサイン		▬	大型バス可
P	パーキング		▬	中型バスまで
WC	トイレ		▬	普通車まで
♨	温泉		▬	旧市町村の境界線
🍴	食事ができる作品		⊗	通行不可
🏨	宿泊できる作品		◇	道幅狭い
☕	カフェのある作品		❶	一般車両の進入をご遠慮いただく区域
🌙	夜間推奨			

★ は施設等の代表番号を示す
（施設内作品の作品番号はマップ上に記載がありません）

大地の
津南見玉

越後妻有の中でも特に雪深い場所にある体験型のミュージアム。コールテン鋼に覆われた錆色の建物自体が作品で、細長いユニークな外観が特徴。館内外で自然を活かした作品を展示し、地域の自然科学館として、里山の生物多様性をテーマとした展示やさまざまな体験イベントを通年で開催。周囲には希少な動植物も生息する里山保全エリア「キョロロの森」があり、芸術作品と豊かな里山の自然を同時に味わえる。

★Y019 ツアーD

設計＝手塚貴晴＋手塚由比（日本）
Tezuka Takaharu + Tezuka Yui

十日町市里山科学館 越後松之山「森の学校」キョロロ

[制作年] 2003　[MAP] P094/1-B　[場所] 十日町市松之山松口1712-2　[公開日] 火以外 ※10/8（火）〜11（金）展示入替休館
[時間] 9:00-17:00（最終入館30分前）　[個別鑑賞料] 高校生以上600円　[パスポート特典] 高校生以上300円割引 ※パスポートのみ
では入館不可　[夏季企画展] 「生き物デザイン学校」7/13（土）〜10/6（日）

Y020 ツアーD

笠原由起子＋宮森はるな（日本）
Kasahara Yukiko + Miyamori Haruna

メタモルフォーゼ
―場の記憶―松之山―

[制作年] 2003
[MAP] P094/1-B（★Y019）
[場所] 越後松之山「森の学校」キョロロ

Y021 ツアーD

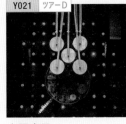

庄野泰子（日本）
Shono Taiko

キョロロの Tin-Kin-Pin
―音の泉

[制作年] 2003
[MAP] P094/1-B（★Y019）
[場所] 越後松之山「森の学校」キョロロ

Y022 ツアーD

逢坂卓郎（日本）
Osaka Takuro

大地、水、宇宙

[制作年] 2003
[MAP] P094/1-B（★Y019）
[場所] 越後松之山「森の学校」キョロロ

Y023 屋外 ツアーD

遠藤利克（日本）
Endo Toshikatsu

足下の水（200㎡）

[制作年] 2003
[MAP] P094/1-B（★Y019）
[場所] 越後松之山「森の学校」キョロロ

Y041 Y110 ツアーD

橋本典久＋scope（日本）
Hashimoto Norihisa + scope

超高解像度人間大昆虫写真
[life-size]／ZooMuSee

[制作年] 2006／2022
[MAP] P094/1-B（★Y019）
[場所] 越後松之山「森の学校」キョロロ

Y025 屋外

ジェニー・ホルツァー（アメリカ）
Jenny Holzer

ネイチャーウォーク

[制作年] 2003
[MAP] P094/1-B（★Y019）
[場所] 越後松之山「森の学校」キョロロ

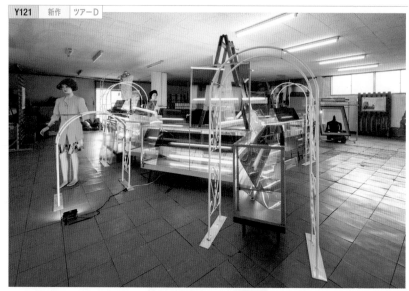

Y121　新作　ツアーD

《Clothing Fills in the Sky》「いちはらアート×ミックス2020＋」

中﨑透 (日本)
Nakazaki Tohru

32 Resting Stones ／ 三二と休石

［制作年］2024　［MAP］P094/2-C
［場所］十日町市松之山坂下235
［個別鑑賞料］一般400円、小中学生200円

知られざる地域の文化や市井の営みを可視化する

コミュニケーションの危うさや、自己と他者の認識のずれに関心をもつ作家は、作品設置場所に縁をもつ人々や地域住民へのインタビューに取り組む。そこから得られる情報をもとに、近年の作家の制作スタイルとしてよくしられるライトボックスを用いたインスタレーションを行っている。今回は2009年に公開され、その後2023年に公開を終了した作品《黎の家》の建物を舞台に、松之山の上川手集落で作品を公開。この地に根付く文化歴史を、建物自体に微かに残る記憶や、この地の住民の暮らしを作家独自の視点で捉え、ひとつの作品として紡ぎ出す。

Y011　屋外　夜間

CLIP (日本)
CLIP

峡谷の燈籠

［制作年］2000　［MAP］P094/2-B
［場所］松之山温泉街 入口

Y012　屋外

笠原由起子＋宮森はるな (日本)
Kasahara Yukiko + Miyamori Haruna

メタモルフォーゼ場の記憶— 「松之山の植生を探る」

［制作年］2000　［MAP］P094/2-B
［場所］松之山温泉街 入口

Y106　屋外　ツアーD

サンティアゴ・シエラ (スペイン)
Santiago Sierra

ブラックシンボル

［制作年］2018　［MAP］P094/2-B
［場所］松之山温泉街

★Y109 宿泊
三省ハウス

［制作年］2006　［MAP］P094/1-B
［場所］十日町市松之山小谷327（旧三省小学校）
［時間］11:00-16:00　［個別鑑賞料］一般400円、小中学生200円
（宿泊の詳細はP129）

2006年に、旧小学校校舎を改築して生まれた施設。1989年に閉校したこの学校は、再活用に向けての地域住民による熱心な活動があり、木造建築の懐かしいつくりを活かした宿となった。館内展示も豊富に展開。来訪者に加えて、サポーター「こへび隊」や作家なども集う、芸術祭の縮図のような場として賑わっている。

Y122　新作

村山悟郎（日本）
Murayama Goro
生成するドローイング －松之山野鳥ノ図－

［制作年］2024　［MAP］P094/1-B（★Y109）
［場所］三省ハウス

野鳥たちが飛び交う、彩り豊かな壁画空間
生命の自律的な発生・組織化を作品構造として、絵画やドローイングで表現する作家の新作。この地域は野鳥の多様さでもしられる地だが、踊り場や客室、洗面台や食堂など三省ハウス全体の壁面を舞台に、鳥たちをモチーフにしたドローイングを生成。モチーフとなるのは、アカショウビン、ブッポウソウ、キビタキ、ヒレンジャク、コゲラ、ノジコといったこの地にも縁のある野鳥たち。彼らのイメージを独自に昇華しながら、越後妻有の自然と響き合うような空間を展開する。

Y027

リンダ・コヴィット（カナダ）
Linda Covit
名前蔵
［制作年］2003
［MAP］P094/1-B（★Y109）
［場所］三省ハウス

Y045

アイガルス・ビクシェ
（ラトビア共和国）
Aigars Bikše
ラトビアから遠い日本へ
［制作年］2006
［MAP］P094/1-B（★Y109）
［場所］三省ハウス

★Y109

レアンドロ・エルリッヒ
（アルゼンチン）
Leandro Erlich
Lost Winter
［制作年］2017　［MAP］P094/1-B
［場所］三省ハウス

Y118 新作 屋外 ツアーD

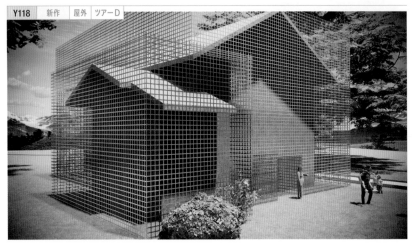

アイシャ・エルクメン
(トルコ／ドイツ)
Ayşe Erkmen

in and out

[制作年] 2024 [MAP] P094/2-B
[場所] 十日町市松之山湯山446
[個別鑑賞料] 一般400円、小中学生200円

かつての家屋を「保存」することで生まれる鑑賞体験

新潟中越地震で倒壊した家屋を見つめる作品や、空き家の遺物を庭に整然とおいた作品など、これまで日本で発表してきた続編となる本作。現地の環境を背景に、新しい解釈を生み出すような作品を展開する作家は、かつて倒壊した家そのものを金網で加工する新作を手がける。「内部と外部の光沢のある金網のコントラストは、湯山の家に都会的な感覚をもたらし、家自体の美しさとともに強い存在感を与えるだろう」(作家コメント)

★Y052 ツアーA

クリスチャン・ボルタンスキー＋ジャン・カルマン (フランス)
Christian Boltanski + Jean Kalman

最後の教室

[制作年] 2006 [MAP] P094/2-C
[場所] 十日町市松之山藤倉192(旧東川小学校)
[個別鑑賞料] 一般800円、小中学生400円

旧東川小学校を丸ごと使ったインスタレーション。象徴的な物品を通じ、地域や学校にまつわる場の記憶を濃密に封じ込めた作品。
スポンサー：福武總一郎、コーディネート：白羽明美

Y072 ツアーD

塩田千春 (日本／ドイツ)
Shiota Chiharu

家の記憶

[制作年] 2009 [MAP] P094/2-C [場所] 下鰕池
[個別鑑賞料] 一般400円、小中学生200円

Y101 ツアーA

クリスチャン・ボルタンスキー (フランス)
Christian Boltanski

影の劇場 ～愉快なゆうれい達～

[制作年] 2018 [MAP] P094/2-C (★Y052)
[場所] 最後の教室

Y107 屋外 ツアーD

ホセイン&アンジェラ・ヴァラマネシュ
（オーストラリア）
Hossein & Angela Valamanesh

ガーディアン

［制作年］2018
［MAP］P094/2-A（★Y082）
［場所］オーストラリア・ハウス

★Y082 宿泊 ツアーD

設計＝アンドリュー・バーンズ・アーキテクト
（オーストラリア）
Andrew Burns Architect

オーストラリア・ハウス

［制作年］2012 ［MAP］P094/2-A ［場所］十日町市浦田7577-1
［時間］11:00-16:00 ［個別鑑賞料］一般400円、小中学生200円
（宿泊の詳細はP128）

もとは古民家を改修し、2009年に始まった施設だが、2011年の長野県北部地震にて全壊。再建を希望する声をうけて2012年に現在の施設に。設計は国際コンペによりアンドリューに決定。オーストラリアの作家たちが滞在し、地域の国際交流の拠点および、宿泊施設としても運営されている。

Y119 新作 ツアーD

ローレン・バーコヴィッツ
（オーストラリア）
Lauren Berkowitz

残り物

［制作年］2024
［MAP］P094/2-A（★Y082）
［場所］オーストラリア・ハウス

地域で集めた素材を再構成し、未来の環境のあり方を描き出す環境やサステナビリティをテーマとした作品を多く公開する作家が、この場に滞在して制作する作品。オーストラリアや、この施設のある浦田地区の協力で集められた廃材や植物により、地域の環境を詩情豊かに表現する作品を構成する。そこで見出されるのは、季節のリズムと共鳴する農作物のありよう。そして、あらゆるものがリサイクルされる循環型の経済。持続可能な未来を示すひとつのモデルを展開する。

大厳寺高原

Y068 屋外

山本健史 (日本)
Yamamoto Takeshi
掃天帯土 ー天水越の塔ー

[制作年] 2009　[MAP] P094/2-B
[場所] 天水越

Y003 屋外

眞板雅文 (日本)
Maita Masafumi
悠久のいとなみ
ー The Eternal

[制作年] 2000　[MAP] P094/3-A
[場所] 越後妻有 大厳寺高原キャンプ場

Y005 屋外

植松奎二 (日本)
Uematsu Keiji
大地とともに ー 記憶の風景

[制作年] 2000　[MAP] P094/3-A
[場所] 越後妻有 大厳寺高原キャンプ場

Y065 屋外

堀川紀夫 (日本)
Horikawa Michio
Sky Catcher 09

[制作年] 2009　[MAP] P094/3-A
[場所] 越後妻有 大厳寺高原キャンプ場

Y006 屋外

ジミー・ダーハム (アメリカ)
Jimmie Durham

[制作年] 2000　[MAP] P094/3-A
[場所] 越後妻有 大厳寺高原キャンプ場

Y002 屋外

ケンデル・ギール
(南アフリカ共和国)
Kendell Geers
分岐点だらけの庭

[制作年] 2000　[MAP] P094/3-A
[場所] 越後妻有 大厳寺高原キャンプ場

Y013 宿泊 ツアーD

マリーナ・アブラモヴィッチ (旧ユーゴスラビア)
Marina Abramović
夢の家

[制作年] 2000　[MAP] P094/2-B
[場所] 十日町市松之山湯本643
[時間] 11:00-16:00
[個別鑑賞料] 一般400円、小中学生200円　※Y035を含む
(宿泊の詳細は P127)

Y035

ジャネット・ローレンス
(オーストラリア)
Janet Laurence
エリクシール／不老不死の薬

[制作年] 2003　[MAP] P094/2-B
[場所] 十日町市松之山湯本642
[個別鑑賞料] 一般400円、小中学生200円
　　　　　　 ※Y013を含む

Y026 屋外

ジョン・クルメリング（オランダ）／テキストデザイン＝**浅葉克己**（日本）
John Körmeling (text designed by Asaba Katsumi)

ステップ イン プラン

［制作年］2003
［MAP］P094/1-B
［場所］池尻 交差点

Y029 屋外

舟越直木（日本）
Funakoshi Naoki

星の誕生

［制作年］2003　［MAP］P094/1-B
［場所］十日町市松之山1162-3
　　　（旧松之山小学校）

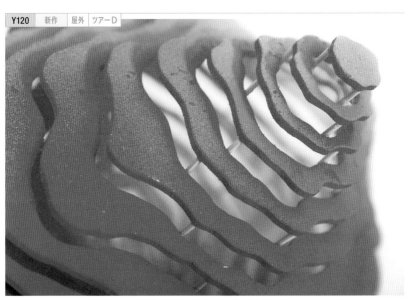

Y120 新作　屋外　ツアーD

elparo（フランス）
elparo

不思議な石

［制作年］2024　［MAP］P094/1-B
［場所］黒倉十文字公園

「等高線」をヒントに拡張された彫刻群！
木材や金属、さまざまな素材を用いてペインティングや彫刻作品を手がけるelparoの新作インスタレーション。その着想となったのは「等高線」。古来より地図製作における技法、つまり人が世界を理解するために進化してきた技術であるが、そこにある美的要素に注目しているという。今回はそうしたインスピレーションから、自然と人工物を組み合わせた、彫刻群からなる作品を制作。訪れる人が目にするのは、別の銀河星からの隕石？　あるいは、地球が再生する様子？　そんな「ミステリアスな現象」を、彩り豊かなオブジェとして作品化する。

津南エリア

津南エリアは南西部に広がり、長野県とも接する地域。信濃川沿いには、パフォーミングアーツの拠点となる《越後妻有「上郷クローブ座」》や、国際交流が盛んで滞在制作も行われる施設《香港ハウス》があります。大割野の店舗や学校・地域と協働した作品展開も見逃せません。そして中津川沿いを南下していくと、国内有数の秘境とされる「秋山郷」へ。新施設《アケヤマ─秋山郷立大赤沢小学校─》では秋山郷に伝わる技術や知恵を作家が学び、新しいかたちで再現を試みる作品群が展開しています。

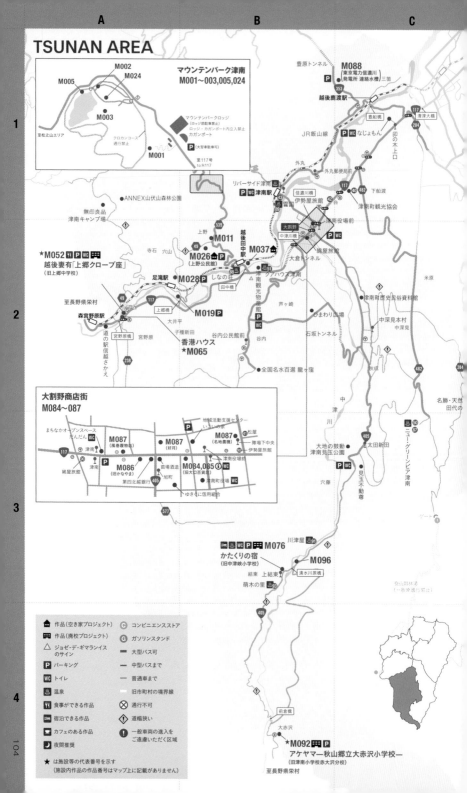

大割野商店街

津南町のメインストリート・大割野商店街にて、お店や空き店舗を活用した作品が4人の作家により展開される。　※大割野商店街作品（M084〜087）は、津南案内所（旧大口百貨店内）にて受付

旧大口百貨店

| M084 | 新作 | ツアーC |

佐藤悠（日本）
Sato Yu

大割野おみくじ堂

[制作年] 2024　[MAP] P104/2-B
[場所] 旧大口百貨店 1F
[個別鑑賞料] 一般400円、
　　　　　　小中学生200円
　　　　　　※ M085〜087を含む
[イベント] 8/31（土）, 9/1（日）,
　　　　　　11/2（土）, 3（日）

あなたの旅路を占う、観客参加型の"お堂"へ
昨年まで婦人服屋と酒屋として営んでいた場所で、越後妻有の地図をモチーフにした屋台や休憩室を設える。ここには、地元の方々や来場者から集めた芸術祭や地域のオススメ情報が「おみくじ」となって集まる。これは協働による滞在制作やパフォーマンス、鑑賞プログラムの開発・実践する作家が手がける「お堂」だ。かき氷の販売など、限定イベントも随時開催。「素敵な偶然に出会いたい方、行き先に迷った方は、ぜひ津南町『大割野おみくじ堂』まで」（作家コメント）。

| M085 | 新作 | ツアーC |

布施知子（日本）
Fuse Tomoko

**おりがみ：
みんなで作る津南の森**

[制作年] 2024　[MAP] P104/2-B
[場所] 旧大口百貨店 2F
[個別鑑賞料] 一般400円、
　　　　　　小中学生200円
　　　　　　※ M084,086,087を含む

地域住民との協業による、折り紙が織りなす「森」の世界
新潟出身で、「ユニット折り」の第一人者として国際的にしられる折り紙作家が、津南町の学生・住人と折り紙でつくった「木」を並べる展示空間。抽象的なかたちの「木」が集うことであらわれる幻想的な「森」を体感できる。「地域の方々が主役で、作業をともにする中で物をつくる楽しさやつながりや笑顔が生まれ、新しい血が巡ることを願い、自身もその一員として参画したい」（作家コメント）。

| M086 | 新作 | ツアーC |

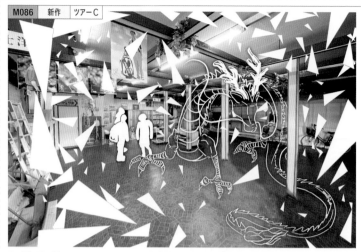

加治聖哉 (日本)
Kaji Seiya

思い出の在り方

[制作年] 2024　[MAP] P104/2-B
[場所] 旧かなやま
[個別鑑賞料] 一般400円、
　　　　　小中学生200円
　　　　　※ M084,085,087を含む

洋品店の思い出を「龍」がつなぐ
大割野で洋品店を営業していた「旧かなやま」を舞台にした、廃材を素材に動物作品をつくる若手造形作家による展示。地元住民の思い出の多い、ありし日の洋品店に、地域の子どもたちとのワークショップによって色鮮やかに描かれた廃材から生まれた「龍」が佇む。この場には「残しておくばかりで思い出しづらい品や失くしてしまった思い出の品を、別のかたちで残すことができる」という作家の思いが込められている。

| M087 | 新作 | 屋外 | ツアーC |

新垣美奈 (日本)
Arakaki Mina

Lights to Tsumari
（妻有への明かり）

[制作年] 2024　[MAP] P104/2-B
[場所] 風巻履物店、好月、名地農機
[個別鑑賞料] 一般400円、
　　　　　小中学生200円
　　　　　※ M084〜086を含む

店舗内に映る、東京から妻有で見つけた「光」とは
「闇の中の明かり」は、明るく輝くだけでなく、それを通して地域性や社会状況を垣間見ることができる――。夜の闇、窓や街灯の光をモチーフに、日常の中で発見した物事をテーマとして絵画作品を手がける作家は、東京から妻有の道にある「光」をリサーチし、新作を制作。店舗の空間の中に、さまざまな「明かり」で構成したロール状の絵画作品と、店舗にちなんだテーマの作品を展開する。
※名地農機は土日定休（一部の作品は土日も外から鑑賞可）

東京電力信濃川発電所連絡水槽

長野県飯山市で取水した水が信濃川発電所に送られる導水路の約20km下流にある津南町の経由設備。上流側水路は、サイフォン構造により国道の下を通過し連絡水槽につながる。連絡水槽は、信濃川発電所へ導水する圧力を調整する働きがある。信濃川発電所でつくられる電力は、関東方面や新潟県の上越・魚沼地域へ送られている。（提供：東京電力リニューアブルパワー）

M088	新作	屋外	ツアーA

ニキータ・カダン
（ウクライナ）
Nikita Kadan

別の場所から来た物

[制作年] 2024　[MAP] P104/1-C
[場所] 東京電力信濃川発電所連絡水槽
キュレーター：鴻野わか菜

手の届かない「遊び場」が見せるもの
ヴェネチア・ビエンナーレなどの国際展にも参加歴の多い、ウクライナの現代美術シーンを担う作家のオブジェ作品。鏡面仕上げの金属でつくられる本作は、子どもの遊ぶ公園をイメージしている。けれど、離れた場所からしか見ることができない「入ることのできない公園」であるという。それは、手の届かない幸福な空間であり、同時に、過ぎ去った幼年時代を想起させる場でもある。

★ M052 飲食 ツアーC

改修設計＝豊田恒行（日本）
Renovation designed by Toyoda Tsuneyuki

越後妻有「上郷クローブ座」

［制作年］2015 ［MAP］P104/2-A ［場所］津南町上郷宮野原7-3（旧上郷中学校）
［個別鑑賞料］一般600円、小中学生300円※香港ハウス内作品を含む

2012年に閉校となった旧上郷中学校を、2015年にパフォーミングアーツの拠点としてリニューアル。大地の芸術祭施設の中では比較的新しい廃校建築であり、現代的な学校の雰囲気を活かし、体育館を改装した仮設劇場に加えて、作品展示やレストラン、レジデンス空間も併設する総合施設として成長中。

M057 屋外 ツアーC

浅葉克己（日本）
Asaba Katsumi

「上郷クローブ座」看板ロゴタイプ

［制作年］2015
［MAP］P104/2-A（★M052）
［場所］越後妻有「上郷クローブ座」

M063 ツアーC

ニコラ・ダロ（フランス）
Nicolas Darrot

上郷バンドー四季の歌

［制作年］2018
［MAP］P104/2-A（★M052）
［場所］越後妻有「上郷クローブ座」

M083 新展開 ツアーC

岡淳＋音楽水車
プロジェクト（日本）
Oka Makoto+The Music Mill
Project

農具は楽器だ！

［制作年］2023・2024
［MAP］P104/2-A（★M052）
［場所］越後妻有「上郷クローブ座」

農具が奏でる、音楽のインスタレーション
地元から譲り受けた農具や民具を楽器に変えて、かつての使用方法を踏襲した音色を奏でる作品。第8回展では津南中等教育学校の学生とともに作品を制作し、サックス奏者である岡と学生がコラボレーションしたパフォーマンスが行われた。2023年には作品をアップデートして、越後妻有「上郷クローブ座」に移設。今年は岡を中心とした住民参加型の楽団も結成し公演する（イベントの詳細はP121）。

M090 新作 ツアーC

白井美穂 (日本)
Shirai Mio

太陽の移ろい

[制作年] 2024
[MAP] P104/2-A（★M052）
[場所] 越後妻有「上郷クローブ座」

絵画と映像、自然界の光が移ろう「レストラン」へ
過去の芸術祭では童話『注文の多い料理店』に着想を得た、ドアを使った作品を発表した作家は、彫刻、絵画、映像、写真など多角的な表現を手がけている。今回はクローブ座の一室で、レストランのテーブルクロスや壁面を使った平面作品と映像を組み合わせた展示を行う。そこに託されるのは、「移ろいゆく太陽の光と季節、自然の豊穣と食すること、自然界の生成のリズム」だという。光と色彩が織り重なる複合的な空間表現を味わいたい。

M064 新展開 飲食 ツアーC

EAT&ART TARO (日本)
EAT&ART TARO

上郷クローブ座レストラン

[制作年] 2015〜　[MAP] P104/2-A（★M052）
[場所] 越後妻有「上郷クローブ座」
[公開日] 会期中の金土日祝
[時間] 12:00-12:45
[個別鑑賞料] 一般3,000円、子ども2,000円
※要予約 ※パスポートの提示、または入館料が必要
脚本・演出：原倫太郎＋原游

女衆のおもてなしと津南の食を一緒に楽しむ演劇レストラン
EAT & ART TARO プロデュースで2015年にスタートした本作は、津南の旬な食材を使ったお料理を、地元の女衆（お母ちゃんたち）が明るく楽しくお芝居風に提供する演劇レストラン。2022年以降、脚本・演出に原倫太郎＋原游が加わり、雪国の暮らしを描いた鈴木牧之の『北越雪譜』や『秋山記行』をモチーフにしたお芝居を展開。食と演劇を一緒に楽しめて、お母ちゃんたちの笑顔にほっこりできるほかにはないランチをどうぞ。
（レストランの詳細は P126）

上郷地域の国際交流の拠点として、香港との恒常的な文化交流を行う滞在施設・ギャラリー。ヴェネチア・ビエンナーレ国際建築展などで注目を集める若手建築家チーム、イップ・チュンハン（葉晉亨）が公募で選定され、設計を担当した。年間を通じ香港の諸施設・機関と連携しながら、企画展や地域交流プログラムを継続的に展開する。会期中は香港の学生も運営に関わる。

★M065　ツアーC

設計＝イップ・チュンハン［葉晉亨］（香港）
Architect=Yip Chun Hang and Team

香港ハウス

［制作年］2018　［MAP］P104/2-A
［場所］津南町上郷宮野原29-4
［個別鑑賞料］一般600円、小中学生300円 ※越後妻有「上郷クローブ座」内作品を含む

M089　新作　ツアーC

マシュー・ツァン＆コーデリア・タム（香港）
Matthew Tsang & Cordelia Tam
同じで同じではない

［制作年］2024
［MAP］P104/2-A（★M065）
［場所］香港ハウス

都市と里山、異なる場所にも等しく流れる時間のかたち

香港のふたりのアーティストによる新作。タッグを組むのは、自然素材を用いた作品を手がけるマシューと、日常的な素材を用いて人と自然のつながりをテーマにする作品を発表するコーデリアだ。ふたりは越後妻有に滞在することで現地の自然環境や農耕文化への知見を深め、都市生活者の視点から制作をする。たとえば香港の古紙からつくった再生紙に描き出す、山水風景。また、自然を描いたアニメーションや土と農具でつくった作品。「ふたつの場所の違いはあっても、同じ空の下にあり、時間と自然は依然として平行して流れている」（作家コメント）。そんな異なる視点のあり方を想起させる展示空間となる。

★M092 ツアーC

監修＝深澤孝史／会場構成＝一般社団法人コロガロウ／佐藤研吾 (日本)
Supervised by Fukasawa Takafumi / Spatial designed by Korogaro Association / Sato Kengo

アケヤマ —秋山郷立大赤沢小学校—

[制作年] 2024　[MAP] P104/4-B　[場所] 津南町大赤沢丁154-1 (旧津南小学校大赤沢分校)
[個別鑑賞料] 一般800円、小中学生400円　[イベント] 10/14 (月祝) シンポジウム「世界の中の秋山郷」

1924年、義務教育免除地の悲願の学校として生まれた大赤沢小学校が、2021年に廃校となった。その歴史を引き継ぎ、生まれ変わった「アケヤマ」は、秋山の語源でもあり、山の共有地を意味する「明山 (あけやま)」から命名。同地の調査を続ける深澤の監修のもと、「人間の生活の力を再び手に入れるための学校」として、住民、研究者、アーティストなどさまざまな人たちと「共有地」の技術や信仰を学び実践する取り組みを行なっていく。

一般社団法人コロガロウ／佐藤研吾 (日本)
Korogaro Association / Sato Kengo

動いている学びの場

「アケヤマ」がこれからも動き続ける学びの場となるために、旧小学校2階の体育館を使った活動拠点を計画する。体育館の中央には、この場所を訪れるヒトやモノが留まることができる空き地＝コモンスペースが据えられ、その空き地を囲むかたちで仮設的な各作家の制作ブースが展開する。訪れるたびに状況がグルグルと変わっていく、常に発見と更新のある動的な場となっていく。

M091 | 新作 | ツアーC

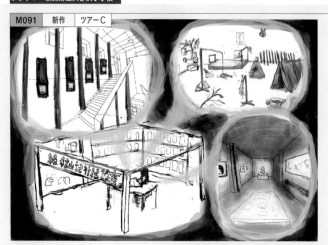

深澤孝史（日本）
Fukasawa Takafumi

続秋山記行編纂室（へんさんしつ）

［制作年］2024
［MAP］P104/4-B（★M092）
［場所］アケヤマ―秋山郷立大赤沢小
学校―

秋山に伝わる生きるための根源的な生活技術を語り継ぐ場所

「鈴木牧之は江戸後期に雪国の生活や山の民の暮らしを紹介する『北越雪譜』と『秋山記行』を書き上げた。それは民俗学成立以前において都以外の生活文化を記録・発信する革新的なものであった。現在もなお、牧之に影響を受けた多くの人が『秋山記行』の続編を記述し続けるかのように、秋山の民俗文化の研究、記録にかきたてられている」（作家コメント）。2022年より秋山郷の調査をする作家による「秋山での共有地の感覚とブリコラージュ的な生活、そしてこれまであえて語られてこなかったものを語っていく場所」として、編纂室をひらく。

M093 | 新作 | ツアーC

内田聖良（日本）
Uchida Seira

カマガミサマたちのお茶会：
信仰の家のおはなし

［制作年］2024
［MAP］P104/4-B（★M092）
［場所］アケヤマ―秋山郷立大赤沢小
学校―

未来にあり得るかもしれない信仰やケアのあり方を考える

「山から魔除けや供養など儀礼の方法を教わる変わり者の住む『信仰の家』。その家では『カマガミサマ』たちがお茶会を開いているらしい…」という架空の物語をもとに展開する作品。作家は、秋山郷で行われていた日々の仕事や死、病を巡る信仰の営みと、集落でのお茶会とを結びつける。お茶会を、つながりを維持する新たな儀礼に見立て物語ることで、未来にあり得るかもしれないケアのかたちとしてこの地の信仰を考える試み。

M094　新作　ツアーC

井上唯 (日本)
Inoue Yui

ヤマノクチ

[制作年] 2024
[MAP] P104/4-B（★M092）
[場所] アケヤマ ー秋山郷立大赤沢小
　　　学校ー

入会地での草木採取のはじまりの日"山の口"の再現
「秋山郷の人々にとって、山は暮らしの場であり、素材そのものであった」（作家のコメント）。各地に滞在し、手仕事を介して自然や人の営みを題材に制作を行う作家は「素材の源としての山」を、同地で活用されてきた草木によってつくり出していく。会期中は、来場者とともに草木の採取や加工を行い、山からモノを生み出していく過程を共有する。この地で育まれた知恵や技術を現代に活かしていく方法を考える試みにもなる。

M095　新作　ツアーC

永沢碧衣 (日本)
Nagasawa Aoi

山の肚

[制作年] 2024
[MAP] P104/4-B（★M092）
[場所] アケヤマ ー秋山郷立大赤沢小
　　　学校ー

山奥の洞窟から描き出される、狩猟民と動植物の関係性
絵画作家として、東北の狩猟・マタギ文化に関わりながら制作を続ける作家は、秋田から同地に至る人や動植物の変遷をたどるリサーチを経て、かつてマタギたちや動植物との間に内在した「語られざる物語」を可視化していく。題材となるのは、山深くの休憩地として人や動物に使われてきた、リュウと呼ばれる洞窟。マタギの集落の古材を使用した構造物と、熊膠による壁画を制作し、山里の過去と未来のあわいをイメージさせる展観を行う。

M074 新展開 屋外 ツアーC

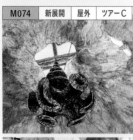

山本浩二 (日本)
Yamamoto Koji

フロギストン

[制作年] 2022・2024
[MAP] P104/4-B（★M092）
[場所] アケヤマ ー秋山郷立大赤沢小
　　　学校ー

**秋山郷の巨木を用いた、
木炭彫刻の新展開**

彫刻を炭化した木炭彫刻「フロギ
ストン」シリーズを制作する作家は、
2022年から秋山郷の樹木や写
真によるインスタレーションを展開。
今回は、巨大なトチの丸太にあい
た大きな「うろ」に、トチを使った作
品を設置する。

M080 ツアーC

松尾高弘 (日本)
Matsuo Takahiro

記憶のプール

[制作年] 2022　[MAP] P104/4-B
[場所] アケヤマ ー秋山郷立大赤沢小
　　　学校ー

M097 新作 ツアーC

山本浩二 (日本)
Yamamoto Koji

胸中山水　秋山郷図

[制作年] 2024　[MAP] P104/4-B（★M092）
[場所] アケヤマ ー秋山郷立大赤沢小学校ー

各々が感じる自然を映し出す、秋山郷の木炭画

「胸中山水とは中国山水画のあり方を示す言葉である。
自然に対する感じ方は各々異なるが、それぞれの心に去
来する自然を思い描いて絵に表すという点を大事にして
いる」(作家コメント)。作家により木炭彫刻となった秋山
郷の樹木を画材として、秋山郷の山、つまり同地の山を
覆う木々による営みの総体を描き出す新たな試み。鑑賞
者はその木炭で描くことができ、そうした体験を通して、各々
の胸中の「自然」のあり方について感じられる展示となる。

M019 屋外

霜鳥健二 (日本)
Shimotori Kenji

「記憶 - 記録」足滝の人々

[制作年] 2009　[MAP] P104/2-A
[場所] 足滝

M028 屋外

リン・シュンロン [林舜龍]
(台湾)
Lin Shuen Long

国境を越えて・山

[制作年] 2009　[MAP] P104/2-A
[場所] 穴山

M026 屋外

グァン・ファイビン [管懐賓]
(中国)
Guan Huaibin

時を超える旅

[制作年] 2009　[MAP] P104/2-B
[場所] 上野公民館

驟雨がくる前に Before the rain★
「秋山記行」の自然科学的視点からの推考の試み-1
A Conjectural Study for Suzuki Bokushi's "Akiyama Kikou":"Travelogue"1828 -No.1

磯辺行久（日本）
Isobe Yukihisa
しゅうう
驟雨がくる前に
「秋山記行」の自然科学的
視点からの推考の試み -1

[制作年] 2024　[MAP] P104/3-B
[場所] 清水川原

秋山郷の研究を現場で展開する
作家が『秋山記行』を題材に行う第1弾のプロジェクトのメイン展示。同史料の自然科学的視点からの推考の第一段階として、最初の集落「清水川原」に焦点を当て、鈴木牧之の文章や圖を引用し、中津川の流路変遷調査、感染症（天然痘）との関わり、局地気象や水の循環などについて、パネルや映像（QRコードによるスマホ表示）で提示する。中里エリアの清津倉庫美術館での補完展示（P065）とともに、多様な視点から《驟雨がくる前に》を体感できる。

M076 宿泊 ツアーC

原倫太郎＋原游 (日本)
Hara Rintaro + Hara Yu

妻有双六

[制作年] 2021 　[MAP] P104/3-B
[場所] 津南町結東子450-1（かたくりの宿）
[公開日] 10/12（土）〜14（月）以外
[個別鑑賞料] 一般400円、小中学生200円
（宿泊の詳細は P129）

M037 ツアーC

アン・ハミルトン (アメリカ)
Ann Hamilton

Air for Everyone

[制作年] 2012 　[MAP] P104/2-B
[場所] 越後田中
[個別鑑賞料] 一般400円、
　　　　　　小中学生200円

M011 屋外

キム・クーハン［金九漢］(韓国)
Kim Koohan

かささぎたちの家

[制作年] 2003 　[MAP] P104/2-B
[場所] 上野

マウンテンパーク津南

M001 屋外

蔡國強 (中国／アメリカ)
Cai Guo-Qiang

ドラゴン現代美術館

[制作年] 2000 　[MAP] P104/1-B
[場所] マウンテンパーク津南

M002 屋外

ゲオルギー・チャプカノフ
(ブルガリア)
Georgi Tchapkanov

カモシカの家族

[制作年] 2000 　[MAP] P104/1-B
[場所] マウンテンパーク津南

M003 屋外

本間純 (日本)
Honma Jun

森

[制作年] 2000 　[MAP] P104/1-B
[場所] マウンテンパーク津南

M005 屋外

栗村江利 (日本)
Kurimura Eri

再生

[制作年] 2000 　[MAP] P104/1-B
[場所] マウンテンパーク津南

M024 屋外

イ・ジェヒョ［李在孝］(韓国)
Lee Jae-Hyo

0121-1110=109071

[制作年] 2009 　[MAP] P104/1-B
[場所] マウンテンパーク津南

音楽ライブやダンス、演劇、さらには参加型の運動会！ 大地の芸術祭では、各拠点施設などで行われるイベントや、作家によるワークショップなども多くあります。ここでは公式作品のパフォーミングアーツや、イベントの内容・日程をご案内します。あわせて、エリアをまたがって広域で展開する作品もご紹介。一期一会の体験を、ぜひご堪能ください。

※天候や会場の状況により中止・延期の可能性があります。公式HPや大地の芸術祭案内所などで最新情報をご確認ください

E090

田中泯（日本）
Tanaka Min

雪の良寛

［日時］2/23（金祝）14:30開演
［会場］ナカゴグリーンパーク　［MAP］P050/2-B（K114）
［踊り］田中泯　［音］石原淋　［和太鼓・笛・尺八］鬼太鼓座
［衣裳協力］山口源兵衛　［衣裳製作］松原大介

白一色の世界で踊った「良寛」

7月からのトリエンナーレに先駆け、ダンサー・俳優として世界的に活躍する作家の雪上パフォーマンスが開催された。圧倒的な雪の中、越後に生まれ江戸時代を代表する僧侶であり歌人の「良寛」を踊った。後半は和太鼓集団・鬼太鼓座も参加し、良寛が民衆とともに踊り好んだ「盆踊り」も再現した。

E091

巻上公一（日本）
Makigami Koichi

カバコフの夢の続き

［出演］ヒカシュー、纐纈雅代、伊藤千枝子
［日時］7/13（土）18:00開演
［会場］まつだい「農舞台」ピロティ
［MAP］P070/2-B（★D053）
［料金］一般当日2,500円（パスポート提示で2,300円）
　　　一般前売2,000円、小中高生前売当日とも1,000円

さあ、天使の羽をつけてみよう

イリヤ＆エミリア・カバコフの《棚田》から音楽家の巻上が発掘したまぼろしの歌集をヒカシューの作品に仕上げた『雲をあやつる』は、第8回展で発表された舞台《「カバコフの夢」を歌う》をアルバム化したものだった。そして再び、巻上をリーダーとする形而超音楽グループのヒカシューが、新たな"夢の続き"を繰り広げる。

E092

86B210

ゾメキ

[日時] 7/20（土）19:15開演
[会場] 神明水辺公園 バタフライパビリオン
[MAP] P024/2-B
[料金] 一般当日2,000円（パスポート提示で1,800円）、一般前売1,500円、小中高生前売当日とも800円

光を見出し、うねる身体
国内外で活動する鈴木富美恵、井口桂子による前衛舞踊デュオ。ふたりのパフォーマンスは、"人間らしく生きる"をテーマにした詩的な表現と、感覚的な実験劇場としての"即興"がベースにある。「破壊もするが、どんな苦境に立たされても"希望"という名の光を見出して前に進むことができるのもまた人間である」。そんなコンセプトのもと、今回は新潟の大地に継がれゆく歴史や歌、願い、そこに映る光と影などに思いを馳せ、「うねり」を体感させる表現を試みる。

E093 E094

鬼太鼓座 (日本)
ZA ONDEKOZA

祈り INORI ～ Duology

E093 **魄地**
[はくち]

[出演] 鬼太鼓座・Steps 富士モダンダンスカンパニー
[日時] 8/10（土）18:30開演
[会場] まつだい「農舞台」ピロティ　[MAP] P070/2-B（★D053）

E094 **日神魂**
[にっしんこん]

[出演] 鬼太鼓座・松岡大（山海塾）
[日時] 8/17（土）18:30開演
[会場] 川治 妻有神社　[MAP] PO24/2-B（T074）

音と、魂。圧倒的なダイナミズムを
2003年より大地の芸術祭に関わり地域とつながってきた創作和太鼓集団・鬼太鼓座。活動の根源にある「走ることと音楽とは一体であり、それは人生のドラマとエネルギーの反映だ」という独自の「走楽論」をもとに、現代芸術や自然との共生をテーマに活動してきた。今回の舞台にかけるのは、「心と体に宿る波動を通して想いを伝える」という意志。全2公演の中でそれぞれ身体表現のゲストを迎え、妻有神社では「日神魂」、農舞台では「魄地」をテーマに新たな表現に挑む。精神と肉体の魂を打ち鳴らす、集大成ともいえるパフォーマンスを披露する。

[料金] 各回一般当日2,000円（パスポート提示で1,800円）、一般前売1,500円、小中高生前売・当日ともに800円
　※ E093 魄地／E094 日神魂の共通チケットはありません、各回ごとにお買い求めください

E095

大地の運動会

[日時] 9/7（土）11:00開幕
[会場] 奴奈川キャンパス グラウンド（荒天時は中止）
[MAP] P070/2-A（★D331）
「大地の運動会」実行委員会
実行委員長：為末大（大地の芸術祭オフィシャルサポーター）
※料金、予約方法は公式HPをご確認ください

世界の人々と友だちになろう！
スポーツ、ダンス、音楽、アート、食ー大地の芸術祭の粋を尽くした五感全開の運動会。国籍・地域・世代・ジャンルを超えた人たちが、日本独特のコミュニティ文化としての「運動会」をともに準備し、チームを組んでプレーし、応援し、昼食を食べることを通して、互いを知り近しくなっていく。それは、戦争のない世界をつくるための、ささやかな一歩だ。

E096

越智良江（日本）
Ochi Yoshie

泣かないでよ、ルーキー

[日時] 10/13（日）、14（月祝）
　　　 ※公演時間は公式HPをご確認ください
[会場] 越後妻有「上郷クローブ座」
[MAP] P104/2-A（★M052）
[料金] 一般当日1,500円（パスポート提示で1,300円）
　　　 一般前売1,000円、小中高生前売当日とも500円

越後妻有の小学生とつくる創作演劇
子どもたちとの会話や遊びから、アイデアを汲み上げて戯作化・演出する劇作家／演出家の越智が、越後妻有で公募した子どもたちとともにオリジナル脚本を制作し上演する。3か月の稽古を重ねた子どもたちによる、地域・人の個性が演劇を通して生き生きと躍動する舞台。

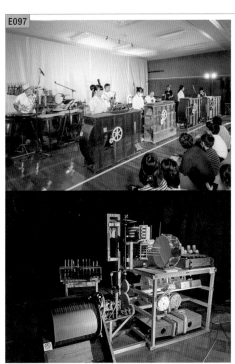

E097

岡淳＋音楽水車プロジェクト
（日本）
Oka Makoto+The Music Mill Project

越後妻有かぷかぷ楽団 2024

［日時］11/9（土）13:30開演
［会場］越後妻有「上郷クローブ座」
［MAP］P104/2-A（★M052）
［料金］一般当日1,500円（パスポート提示で1,300円）、一般前売1,000円、小中高生前売当日とも500円

地域住民とミュージシャンが奏でる、農具たちの祝祭

かつて生活の中で当たり前に存在しながら、今は納屋の隅にひっそりと眠る農具や民具。それらに新たな命を吹き込み、ハレの舞台へといざなう祝祭として、本公演が開催される。主導するのはジャズミュージシャンであり、水車や農具で音楽を奏でるプロジェクトも行う岡淳。演奏会に向け地域住民からなる楽団を立ち上げ、ともに制作した農具楽器が一堂に会し、多彩な音色を響かせる。作家と交流の深いプロミュージシャンも演奏に加わり、華を添える。

《農具は楽器だ!》2022

E098

ニキータ・カダン《シェルターⅡ》

シンポジウム 「ウクライナの美術・文化の現在」

［登壇］ニキータ・カダン、北川フラム、上田洋子、鴻野わか菜（司会）
［日時］7/13（土）15:00〜
［会場］越後妻有里山現代美術館 MonET
［MAP］P024/2-B, P032（★T025）
［料金］当日1,000円（パスポート提示で500円）

E099

越後妻有アジアフォーラム ─激動する世界の中でアートは希望となりうるか─

［日時］9/6（金）13:00-17:00
［会場］越後妻有文化ホール「段十ろう」
［MAP］P024/2-B, P032（T387）
［料金］当日1,000円（パスポート提示で500円）
　　　　※日英同時通訳付
主催：大地の芸術祭実行委員会
共催：瀬戸内国際芸術祭実行委員会、福武財団

イベントカレンダー

※記載は2024年3月現在の情報となります、詳細は公式HPをご確認ください

7/13㈯	• E091 巻上公一《カバコフの夢の続き》(P118) / まつだい「農舞台」 • E098 シンポジウム「ウクライナの美術・文化の現在」(P121) / MonET • T309《モグラTV》生配信 (P035) / MonET • K114 中村正：公開制作パフォーマンス (P052) / ナカゴグリーンパーク
7/14㈰	• T309《モグラTV》生配信 (P035) / MonET • K114 中村正：公開制作パフォーマンス (P052) / ナカゴグリーンパーク
7/20㈯	• E092 86B210《ゾメキ》(P119) / 神明水辺公園 • 棚田バンク夏を楽しむ1日 / まつだい「農舞台」
7/28㈰	• D360 松代山ぞり隊＋堀川紀夫《山ぞり夏まつり》/ まつだい「農舞台」
8/10㈯	• E093 鬼太鼓座《祈り INORI ～Duology 魄地》(P119) / まつだい「農舞台」
8/17㈯	• E094 鬼太鼓座《祈り INORI ～Duology 日神魂》(P119) / 妻有神社 • K114 早川鉄兵：切り絵ワークショップ (P053) / ナカゴグリーンパーク
8/18㈰	• K114 早川鉄兵：切り絵ワークショップ (P053) / ナカゴグリーンパーク
8/19㈪	• T309《モグラTV》生配信 (P035) / MonET
8/25㈰	• ツールド妻有 (P122) / 越後妻有全域
8/31㈯	• M084 佐藤悠：【特別屋台】雪下人参かき氷 (P105) / 旧大口百貨店 • D385 石松丈佳：田野倉ム (P089) / 楽幕 D.I.Y.の家 iju

9/1㈰	• M084 佐藤悠：【特別屋台】雪下人参かき氷 (P105) / 旧大口百貨店
9/6㈮	• E099 越後妻有アジアフォーラムー激動する世界の中でアートは希望となりうるのかー (P121) / 越後妻有文化ホール「段十ろう」
9/7㈯	• E095《大地の運動会》(P120) / 奴奈川キャンパス
9/14㈯	• K114 中村正：公開制作パフォーマンス (P052) / ナカゴグリーンパーク
9/15㈰	• K114 中村正：公開制作パフォーマンス (P052) / ナカゴグリーンパーク
9/22㈰	• K114 関口恒男：イベント「原子未来レイヴ」(P052) / ナカゴグリーンパーク
9/28㈯	• まつだい棚田バンク稲刈り / まつだい「農舞台」
9/29㈰	• まつだい棚田バンク稲刈り / まつだい「農舞台」
10/13㈰	• E096 越智良江《泣かないでよ、ルーキー》(P120) / 越後妻有「上郷クローブ座」
10/14㈪(祝)	• E096 越智良江《泣かないでよ、ルーキー》(P120) / 越後妻有「上郷クローブ座」 • E100 シンポジウム「世界の中の秋山郷」(P111) / アケヤマ ー秋山郷立大赤沢小学校ー
11/2㈯	• M084 佐藤悠：【特別屋台】大割野餅 (P105) / 旧大口百貨店
11/3㈰	• M084 佐藤悠：【特別屋台】大割野餅 (P105) / 旧大口百貨店
11/9㈯	• E097 岡淳＋音楽水車プロジェクト《越後妻有かぶかぶ楽団2024》(P121) / 越後妻有「上郷クローブ座」

広域作品

A001 屋外

ジョゼ・デ・ギマランイス
（ポルトガル）
José de Guimarães

妻有広域のサイン／まつだい
雪国農耕文化村センター「農舞台」のサイン

[制作年] 2003
[場所] 広域

A003 屋外

川口豊・内藤香織 (日本)
Kawaguchi Yutaka, Naito Kaori
みちにわ
径庭プロジェクト

[制作年] 2012 [MAP] P094/2-A, 2-B
[場所] オーストラリア・ハウス、夢の家

関連PJ

ツールド妻有

[日時] 8/25 (日) 開会式 6:45
[スタート] 7:00 (120km・90km)、
8:00 (70km)
[料金] 120km：15,500円〜
90km：13,500円〜
70km：11,500円〜
※開催日前と当日で料金が
異なります

大地の芸術祭を巡るなら、食事も宿もまた醍醐味。ここまで紹介してきた施設や作品で
は、レストランやカフェも運営しており、作品そのものが店舗空間となっているものも。
その地域ならではの食材や、こだわりの名物料理をいただけます。さらに、宿泊できる
展示施設や、建物自体が作品となっている宿もあります。本章ではそんなスポットをご
紹介。鑑賞だけにとどまらない、アートと過ごす時間を味わってください。
※各店舗の営業日は会期中までのご案内となります。会期以降の営業は各HPをご覧ください。

食

TSUMARI BURGER

[場所] 十日町市本町6-1-71-2
越後妻有里山現代美術館 MonET 1F コミュニティスペース
[MAP] P024/2-B, P032（★T025）
[OPEN] 7/13（土）〜11/10（日）11:00-17:00／火水定休

ランチにおすすめ！ 越後妻有の名物ハンバーガー
前回展に続き、米澤文雄シェフ監修のオリジナルバーガーを販売する。地元食材を知り尽くしたシェフこだわりのバーガーは、ほかでは食べることができないメニュー。妻有ポークの塊肉をホロホロになるまでじっくりと火を通し、細かくほぐした「プルドポーク」を挟んだバーガーに、今回はジンジャーソースと、アクセントに神楽南蛮マヨネーズをトッピング！

Photo by Yamada Tsutomu

食

サロン MonET

[場所] 十日町市本町6-1-71-2
越後妻有里山現代美術館 MonET 2F
※パスポート提示または美術館入館料が必要
[MAP] P024/2-B, P032（★T025）
[OPEN] 7/13（土）〜11/10（日）11:00-17:00（L.O.16:30）
／火水定休
[TEL] 025-761-7766

信濃川を象徴する作品空間に憩うカフェ
MonETの2階に位置する、信濃川をテーマにした作品（マッシモ・バルトリーニ feat. ロレンツォ・ビニ《Two River》）でもあるサロン。信濃川の水面のきらめきやそこに集う人々の笑顔、雲、そして信濃川の軌跡が空間を通じて表現されている。円弧のかたちをした本棚には、中谷ミチコの作品《遠方の声》が展示され、店内では蔵書を自由に閲覧できる。喫茶メニューには、コーヒーや紅茶、りんごジュースなど。さらに地産食材による季節のスイーツも楽しめる。店内ではFreeWi-Fiも利用できるので、一息ついたり、この先の旅のプランを考えたりと、のんびりと過ごすことができる。

Photo by Nakamura Osamu

Photo by Nakamura Osamu

食

越後まつだい里山食堂

[場所] 十日町市松代3743-1
　　　まつだい「農舞台」内
[MAP] P070/2-B（★D053）
[OPEN] ランチ 11:00-14:00（L.O.14:00）、
　　　喫茶 10:00-17:00（L.O.16:30）／火水定休
[TEL] 025-594-7181
※会期中の予約はオンラインのみ受付
※ランチタイムはお食事のお客様優先、食材がなくなり次
第受付終了の場合もあり

まつだいで一度は訪れたい食事どころ
まつだい「農舞台」の中にあるレストラン。空間自
体が作品（ジャン＝リュック・ヴィルムート作《カフェ・
ルフレ》）でもある。大きなガラス窓越しには棚田
が広がり、テーブルに映る美観を楽しみながら、棚
田でとれたお米や、地元松代の旬な食材を使った
料理やスイーツを味わいたい。会期中のランチは
ビュッフェスタイルとなり、未来に残したい郷土料
理や、地元食材を使用したアレンジメニューが並ぶ。

Photo by Yanagi Ayumi

食

うぶすなの家

[場所] 十日町市東下組3110
[MAP] P024/1-C（★T120）
[OPEN] 7/13（土）～11/10（日）
　　　ランチ 11:00-15:00（L.O.14:00）／火水定休
[TEL] 025-755-2291
※パスポート提示または入館料が必要
※席を確実に確保したい方は来館日2週間前から電話受付
可能
※団体での休館日の貸切利用も可能

体にも心にも嬉しい、
古民家でいただくこだわりの定食
築100年を迎える茅葺古民家レストランの「うぶす
なの家」は、地元のお母さんたちが育てた野菜で
作る日替わりの小鉢と、シェフの監修によるメイン
料理が名物。イタリア料理を得意とする有馬邦明
シェフのこだわりを詰め込んだプレートをメインに、
おいしいお米はうぶすなの家がある願入集落でと
れた棚田米を使用。滋味深い「うぶすな定食」を、
里山の景色を前にゆっくりいただくことができる。

Photo by Nakamura Osamu

作品の詳細は P025

Photo by Yanagi Ayumi

食

TSUMARI KITCHEN

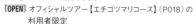

[場所] 十日町市室野576 奴奈川キャンパス内
[MAP] P070/2-A（★D331）
[OPEN] オフィシャルツアー【エチゴツマリコース】（P018）の
　　　利用者限定

ツアー参加者限定！妻有ポークの絶品ランチ
2018年から越後妻有の食に携わる米澤文雄シェフが、前回展に続き TSUMARI KITCHEN のオリジナルメニューを考案。柔らかく仕上げた地元ブランド豚「妻有ポーク」と季節の野菜を、蕗の薹の香り豊かなクリームソースで仕立てた。越後妻有をたびたび訪れ、この土地の食文化に深く関わってきたシェフならではのコース料理は、ツアー参加限定で楽しめる。

Photo by Yamada Tsutomu

食

Hachi Café

[場所] 十日町市真田甲2310-1
　　　鉢＆田島征三 絵本と木の実の美術館内
[MAP] P024/2-A（★T173）
[OPEN] 4/27（土）〜11/10（日）10:00〜17:00（10月以降
　　　は〜16:00）※L.O.は30分前まで／火水定休
※パスポート提示または入館料が必要
※「やさいどっさりカレー」は11:00より提供、なくなり次第終了
[TEL] 025-752-0066

絵本の中でおなじみの、オリジナルカレーも！
廃校の校舎全体が空間絵本となった《鉢＆田島征三 絵本と木の実の美術館》の中にあるカフェ。集落のお母さんが愛情込めて育てたかぼちゃを使用したアイスや、オリジナルブレンドのコーヒーを、山々に囲まれた景色を見ながら堪能できる。また、絵本『学校はカラッポにならない』に登場するカレーの味を再現した「やさいどっさりカレー」もやみつきの一品（会期中のみ販売）。

食

上郷クローブ座レストラン

[場所] 津南町上郷宮野原7-3
　　　越後妻有「上郷クローブ座」内
[MAP] P104/2-A（★M052）
[OPEN] 7/13（土）〜11/10（日）金土日祝
　　　12:00〜12:45（1日公演のみ）
[TEL] 025-761-7767（「大地の芸術祭の里」総合案内所）
[料金] 大人3,000円、子ども2,000円
　　　※別途パスポート提示または入館料が必要
[予約] 芸術祭公式HPより要予約

豪雪地・津南の素材の味を楽しむ演劇レストラン
津南のおいしい水に育まれた旬の食材を使ったお料理を、地元の女衆（お母さんたち）がお芝居風に提供する演劇レストラン。アーティストのEAT&ART TARO が企画・料理を考案し、原倫太郎＋原游が脚本・演出を担当する。女衆お手製の最高のおにぎりと漬物や、朝採れとうもろこし、雪下人参を使った料理をコースで堪能できる。

作品の詳細は P109

Photo by Yanagi Ayumi　　　Photo by Yanagi Ayumi

食

Café Bricolage by edition.nord

[場所] 十日町市清水718 妻有アーカイブセンター
[MAP] P070/1-B（★D387）
[OPEN] 7/13（土）〜8/12（月）11:00〜15:00ごろ／火水定休
※パスポート提示または入館料が必要

フラグメントからブリコラージュへ
スタンド形式の気軽に立ち寄れるカフェが会期中限定でオープン。その時々の採れたての野菜をメニューに取り入れ、冷たいドリンクをご用意。グラウンドでも棚田を眺めながらでも、もちろん山の風が吹き抜ける食堂室でも、お好きな場所で気軽にひと休みできる。

宿泊

うぶすなの家

[場所] 十日町市東下組3110（★T120）
[MAP] P024/1-C
[OPEN] 4/26（金）〜11/10（日）／火水定休
[TEL] 025-761-7767（「大地の芸術祭の里」総合案内所）
[タイプ] 1棟貸切、1泊2食付き
[定員] 4名（1泊1グループ限定、1棟貸切、2名より予約可能）
[料金] 大人 25,000円（朝夕食付き）、子ども（6〜15歳）
15,000円（朝夕食付き）、食事・寝具が不要な幼児
無料※記載は1名当たりの料金
[予約] 芸術祭公式HPより予約

願入集落の名スポットで一夜を過ごす

茅葺き民家をやきもので再生した、レストランとして
も作品としても人気の高いうぶすなの家。日本を
代表する陶芸家たちが手がけた囲炉裏、かまど、
洗面台、風呂。そして地元の食材を使った料理を
陶芸家の器で提供するレストランと、2階は3つの
茶室から成るやきものの展示空間。そんな施設を
一棟貸しで泊まることができる。都会の喧騒から離
れた集落で、地域のお母さんの料理やおもてなし
を堪能しよう。

作品の詳細は P025

Photo by Nakamura Osamu

宿泊

夢の家

[場所] 十日町市松之山湯本643
[MAP] P094/2-B（Y013）
[OPEN] 6/1（土）〜7/12（金）土日祝の前夜のみ、
7/13（土）〜10/31（木）／火水定休
[TEL] 025-761-7767（「大地の芸術祭の里」総合案内所）
[タイプ] 1棟貸切、素泊（自炊可）
[定員] 4名
[料金] 33,000円／泊（※1名の利用でも同額）
[予約] 夢の家HPより予約

松之山で見る夢が作品そのものを育てていく

あわただしい現代生活の中で「自分自身と向き合う
ために、夢を見てほしい」との願いから生まれたマ
リーナ・アブラモヴィッチによる宿泊体験型作品。
作家がデザインしたパジャマを着て、オリジナルのベッ
ドで眠る。朝、見た夢を書き残して『夢の本』をつ
づっていく。そんな宿泊者と宿泊体験そのものが
作品の世界観の一部となる。

作品の詳細は P100

Photo by ANZAÏ

Photo by Nakamura Osamu

宿泊

脱皮する家

[場所] 十日町市峠776
[MAP] P070/2-A（D143）
[OPEN] 4/26（金）〜11/10（日）／火水定休
[TEL] 025-761-7767（「大地の芸術祭の里」総合案内所）
[タイプ] 1棟貸切、素泊（自炊可）
[定員] 10名
[料金] 施設利用22,000円＋大人1名3,300円
　　　小学生1名1,650円、幼児1名1,100円
[予約] 芸術祭公式HPより予約

生まれ変わった農家で、
ここにしかない空間体験を

床・壁・天井・梁……室内のいたるところを彫りぬき、家がまるごと作品になった《脱皮する家》は、築150年の古民家。長年の囲炉裏やかまどを使った暮らしから黒いすすがこびりついている空間全体を彫刻刀で彫りあげ、家屋の新たな一面を表出させた。約2年半の制作期間を経て完成した空間は、圧倒的な迫力で鑑賞者を包み込む。友人同士、家族やグループなどで、一棟まるごと貸切の農家風の民宿として、集落での一晩を過ごすことができる。

作品の詳細はP088

宿泊

オーストラリア・ハウス

[場所] 十日町市浦田 7577-1
[MAP] P094/2-A（★Y082）
[OPEN] 6/1（土）〜11/10（日）／火水定休
[TEL] 025-761-7767（「大地の芸術祭の里」総合案内所）
[タイプ] 1棟貸切、素泊（自炊可）
[定員] 6名
[料金] 施設利用料12,000円＋大人1名3,000円
　　　小学生1名1,500円、幼児1名1,000円
[予約] 芸術祭公式HPより予約

Photo by Nakamura Osamu

アーティストが手がけた
独特の建築空間で一夜を過ごす

震災からの復興の象徴として、越後妻有とオーストラリアの交流の証として、2012年につくられたオーストラリア・ハウス。アーティスト・イン・レジデンスを行っていない期間は、一般客も宿泊できるようになった。アーティストが手がけた建築空間での宿泊体験や、館内や屋外に設置された作品をゆっくり楽しめるほか、豊かな自然に囲まれた絶好のロケーションも堪能することができる。

作品の詳細はP099

宿泊

秋山郷結東温泉 かたくりの宿

Photo by Noguchi Hiroshi

[場所] 津南町大字結東子450-1
[MAP] P104/3-B（M076）
[OPEN] 4/26（金）〜7/12（金）／月火水定休、7/13（土）〜
　　　12/8（日）／火水定休※お盆・紅葉時期は水以外
[TEL] 025-761-5205
[タイプ] 和室7部屋、1泊2食付　[定員] 26名
[料金] 1泊2食付き12,900円〜／泊
[予約] かたくりの宿HPより予約

義務教育免除の歴史をもつ校舎の
お宿と秘境を満喫

秘境・秋山郷に佇む「かたくりの宿」は、明治17年から平成4年まで地元の子どもたちを見守り続けた元小学校。昔の教室は、くつろげる和室に。校長室は、温泉の湧き出るお風呂になった。地域から採集してきた四季折々の山の食材が工夫を凝らした献立でふるまわれる食事にはファンも多い。体育館にある原倫太郎＋原游の作品《妻有双六》で遊ぶこともできるし、圧巻の「結東の石垣田」や映画撮影でも有名な「見倉橋」など、近隣にも見どころがたくさん。大自然を巡るトレッキングも体験することができる。

宿泊

三省ハウス

[場所] 十日町市松之山小谷327
[MAP] P094/1-B（★Y109）
[OPEN] 7/13（土）〜11/10（日）／火水定休
[TEL] 025-596-3854
[タイプ] 男女別室ドミトリー式、素泊もしくは一泊食事付き
[定員] 80名
[料金] 素泊1名4,000円〜／泊
[予約] 芸術祭公式HPより予約

集落のぬくもりある建築を、旅の拠点に

集落を見守る丘の上に建つ三省ハウスは、築60年あまりのぬくもりある木造の小学校を改修して生まれた施設。体育館で身体を動かしたり、集落内を気持よく散歩したりできる。作品巡りの拠点とするのもよいし、セミナーやゼミ合宿など、大勢での利用もおすすめだ。

Photo by Noguchi Hiroshi

Photo by Noguchi Hiroshi

宿泊

光の館

[場所] 十日町市上野甲2891
[MAP] P050/2-B（K005）
[OPEN] 不定休
[TEL] 025-761-1090
[タイプ] 1棟貸切（5名以下は同泊の可能性有）、素泊（夕食のみ注文可、自炊可）
[定員] 16名
[料金] 施設利用料 30,000円＋1人5,000円〜／泊
[予約] 光の館HPより予約

［光］を味わうための空間で過ごす夜と朝

谷崎潤一郎の『陰翳礼讃』にインスパイアされてつくられた、光のアーティスト、ジェームズ・タレルによる高床式のゲストハウス。十日町を見晴らす展望台ともいえるロケーションと、空の光とその移ろいを知覚するための空間でくつろげる。日の入り・日の出のライトプログラムや、光ファイバーを使用した浴槽など、宿泊者限定で体験できる光の作品も見逃せない。

作品の詳細は P056

Photo by Yamada Tsutomu

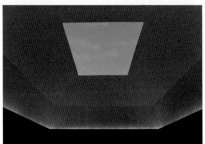

Photo by Yamada Tsutomu

宿泊

節黒城跡キャンプ場コテージ

[場所] 十日町市上野甲2924-28
[MAP] P050/2-B（K009-011）
[OPEN] 詳細はサンパレスナカゴまで
[TEL] 025-768-4419
[タイプ] 1棟貸切、素泊
[定員] 各10名程度
[料金] 施設利用10,000円＋1名1,500円／泊
[予約] 電話

山や市街を見渡す、異なる趣きをもつコテージ

ナカゴグリーンパークから節黒城を目指す途中にある、3人の建築家が手がけた3棟のコテージ。キャンプ場は越後三山と十日町の市街地を見渡せる大自然の中に位置しており、道中には、大地の芸術祭作品も点在。3棟それぞれの自然との響き合いを味わうことのできる空間となっている。

作品の詳細は P057

Photo by Nakamura Osamu

Photo by Nakamura Osamu

大地の芸術祭オリジナル公式グッズ

越後妻有と大地の芸術祭の魅力が詰まった商品がよりどりみどり。
自分へのお土産にも、プレゼント用にもできる多彩なグッズを取りそろえています。

ECHIGO-TSUMARI ART FIELD グッズ

越後妻有の暮らしや自然にフォーカスした新作グッズが登場！　芸術祭巡りの手軽なお土産にどうぞ。

妻有ビール　豪雪のペールエール
2018年から醸造を開始した妻有ビールと共同開発した、芸術祭限定ラベルのクラフトビール。

妻有アイス
新潟県産の苺「越後姫」、棚田でとれた魚沼産コシヒカリ、地元の農家が作る枝豆の3種の味をご用意。

妻有おにぎりせんべい
まつだい棚田バンクのつくる棚田米を使用した手焼きのおにぎり型おせんべい。

豆皿

マスキングテープ

タオルハンカチ

Tシャツ

ロングTシャツ

トートバッグ

※画像はイメージ

第9回展公式カメラマン・金本凛太朗による越後妻有の光景に、デザイナー・川上のアクセントが効いた見逃せない商品です。

デザイン｜川上恵莉子（かわかみえりこ）
2022年の第8回展より芸術祭公式の地域・アーティストグッズを手がける。主な仕事に「RURU MARY'S」ブランディング、「LUMINE NEWoMan The Bargain」NHK連続テレビ小説「半分、青い。」タイトルバックアートディレクションなど。グラフィックデザインを基軸に、活動は多岐にわたる。

Instagram & X：@erikokawakami_
HP：www.erikokawakami.com

第9回展公式カメラマン｜
金本凛太朗（かねもとりんたろう）
1998年、広島県生まれ。小学生の頃趣味だった野鳥観察をきっかけに写真を始める。2020年にフリーランスとして東京を拠点に活動を開始。雑誌・WEB・広告など幅広いジャンルで撮影を手掛けるほか、作品集の制作や写真展の開催など自身の作品制作も精力的に行う。

Instagram：@torintaro
HP：https://rintarokanemoto.com

話題の！アーティストグッズ

大地の芸術祭作品をモチーフにした、こだわりのアーティストグッズ。

トンボの手ぬぐい [田中信太郎《○△□の塔と赤とんぼ》]
思わず壁に飾りたくなってしまう手ぬぐい。夏の芸術祭巡りには必須の一品。

Tシャツ [名和晃平《Force》]
作品の厳かな雰囲気を落とし込んだ、モノトーンなTシャツ。

刺繍ハンカチ [中谷ミチコ《遠方の声》]
赤い糸の刺繍がアクセントのかわいいデザイン。プレゼント用にも人気です。

▼ロゴグッズ

大地の芸術祭クリエイティブ・ディレクター佐藤卓がてがける▽ロゴグッズ。新作も入荷予定です。

▽ロゴTシャツ〈白〉
いつもの▽ロゴのデザインをひとひねり！シンプルながら遊びの効いたTシャツ。

大地のおかず
四季の郷土料理を瓶に詰めて全国へ届けるプロジェクト。山菜や地域の食材を活かしたご飯のお供に。

コシヒカリ「大地の米」
大地の芸術祭から派生してできた、地域の棚田を保全するプロジェクト「まつだい棚田バンク」のお米。

ここで買える！公式グッズ取り扱いショップ

公式グッズは、大地の芸術祭拠点施設を中心に販売。※店舗によってはお取り扱いのない商品もございますので、あらかじめご了承ください

越後妻有里山現代美術館 MonET（2F）ミュージアムショップ ※美術館入館料が必要
インテリアデザインにもデザイナー川上恵莉子が携わり、MonETショップとコミュニティスペースがアップデートされます。

越後妻有里山現代美術館 MonET（1F）コミュニティスペース

まつだい「農舞台」（2F）ミュージアムショップ

絵本と木の実の美術館 本屋くさむら ※美術館入館料が必要

『越後妻有里山美術紀行』総合ディレクター北川フラムが案内する、大地の芸術祭ガイドの決定版。

大地の芸術祭オンラインショップでも各種お取り扱い中！

食事処／お店・日帰り温泉・お宿
雪国観光圏・栄村・上越市

ここでは芸術祭おすすめの食事処やカフェ、日帰り温泉とお宿をご紹介。越後妻有ならではの食やお酒を楽しめる名店・名品の数々をご堪能ください。そして旅といえば、宿。アクセスや客室の雰囲気、温泉の泉質など、自分好みの旅の拠点を見つけるのも醍醐味です。気軽に立ち寄れる日帰り温泉も豊富にあります。後半では、越後妻有内外の観光スポットの情報もお届けします。

お食事にお茶にショッピング。そして宿と温泉。 越後妻有をもっと楽しもう！

MAP情報
MAP情報の色と番号は、作品ガイドの各MAPに連動しています。
- ●十日町
- ●川西
- ●中里
- ●松代
- ●松之山
- ●津南

お店のアイコン

食事処	ランチやディナーにおすすめです
カフェ	軽食やお茶を楽しめるスポットです
お土産	地域の名産や製品をお買い求めいただけます

表記［OPEN／定休］
OPEN／定休日は通常の営業時間と、店舗ごとの定休の曜日などを示します。また、価格表記はすべて税込です。

詳細情報は各店舗にお問い合わせください。

地域の食事処・お店

越後十日町 小嶋屋本店

食事処　MAP：P032 ❶

[場所] 十日町市本町4-16-1
[OPEN／定休] 11:00〜20:00／水
[TEL] 025-757-3155

混じり気のない本物のへぎそばを布海苔をつなぎにする、新潟名物のへぎそば。老舗である小嶋屋では、国産そば粉を使用した十割蕎麦で提供。コシのあるつるっとした喉ごしは絶品。こだわりのつゆとともに本場の味を。

越後十日町 小嶋屋和亭

食事処　MAP：P032 ❷

[場所] 十日町市下島407-1
[OPEN／定休] 11:00〜20:00／無休
[TEL] 025-757-1513

立派な雪国家屋でゆっくりそばを大きな梁が美しい古民家でくつろぐ、へぎそばの老舗・小嶋屋和（なごみ）亭。絶品のへぎそばのほかに、たれかつ丼や天ぷらにも定評がある。バイパス沿いにあり、家族連れでも入りやすい。

繁蔵 田麦そば

食事処　MAP：P032 ❸

[場所] 十日町市駅通り237-1
[OPEN／定休] 10:30〜19:30／月、第一火曜日
[TEL] 025-752-5656

地産のそばを存分に味わえる店十日町のそば産地・田麦地区。そこで自家栽培された玄そばを堪能できる。そば粉と布海苔のみで打ったへぎそばは香り高く歯ごたえも良い。そば粉を使ったスイーツも。

手打ちラーメン 万太郎

`食事処` MAP:P032 ❹

[場所] 十日町市高田町6-733-9（妻有SC内）
[OPEN/定休] 7:00〜21:00／無休
[TEL] 025-757-0398

コシの効いた太麺でいただく地元の味
地域から愛される老舗ラーメン店。「きねうち製法」麺は強いコシと弾力があり、背脂たっぷりの新潟ラーメンやつけ麺との相性は抜群。地産・妻有ポークを使ったタンタンメンも人気。

とんかつ 文よし

`食事処` MAP:P032 ❺

[場所] 十日町市七軒町230-1
[OPEN/定休] 11:30〜13:00、17:00〜22:30／日
[TEL] 025-752-3089

とんかつと多彩な一品料理が自慢
とんかつはもちろん、旬の海鮮、ステーキやしゃぶしゃぶまで取りそろえる割烹。名物のとんかつは、温度の違うふたつの鍋で揚げられたこだわりの一品。酒の種類も多く、宴会プランも充実。

手しごとcafe 青山

`カフェ` MAP:P032 ❻

[場所] 十日町市昭和町3-18-3
[OPEN/定休] 8:30〜18:30／不定休
[TEL] 090-5390-2072

十日町駅すぐの個性的なカフェ
十日町駅すぐの路地にあるカフェ。挽きたてコーヒーやスイーツを食べながら、待ち合わせにも便利。店内にはところ狭しと手芸作品が並ぶ。BGMのレコードもリクエストができる。

ぺぺ&たんと PePe&Tanto

`食事処` MAP:P032 ❼

[場所] 十日町市本町2-344-1
[OPEN/定休] 11:00〜14:00（L.O.13:30）17:30〜22:00（L.O.21:30）／月
[TEL] 025-752-2133

地元ならではの創作イタリアンを
十日町駅徒歩10分のイタリアンレストラン。へぎそばのつなぎに使われる布海苔を使用したもちもちの自家製生パスタが自慢。石窯で焼く本格的なピザも楽しめる。夜は居酒屋としても。

食楽空間 だぶる

`食事処` MAP:P032 ❽

[場所] 十日町市西浦町西192-7
[OPEN/定休] 18:00〜23:00（L.O.22:00）／不定休
[TEL] 025-750-5525

小粋なアイデアが光る多彩な料理
路地裏にひっそりと佇む隠れ家創作料理店。カラッと揚げられた角煮の唐揚げ、ふのりそばを使ったそばサラダなど、種々の料理を楽しめる。新潟県の地酒やソフトドリンクも多数用意するなど飲み物も充実。

和食割烹 網元なか田

`食事処` MAP:P032 ❾

[場所] 十日町市田中町本通り235-2
[OPEN/定休] 11:30〜22:30／不定休
[TEL] 025-757-5417

滋味あふれる本格会席料理を
今年創業50年を迎える老舗割烹。日本海の恵みにあふれるこの土地ならではの和食を味わえる。山海の幸たっぷりの郷土料理「鮭わっぱ飯」のほか、活うなぎを使用した「特選鰻重」が名物。

麺屋 SAKURA

`食事処` MAP:P032 ❿

[場所] 十日町市稲荷町3-4-5
[OPEN/定休] 11:00〜14:30 17:00〜21:00／月
[TEL] 025-755-5885

地産の恵みが詰まった濃厚スープ
地元食材を使った濃厚な魚介豚骨のスープが自慢のつけ麺、ラーメン店。パンチの効いた風味の黒チャーハンやにんにく餃子も人気。座敷もあるので家族や団体で居酒屋使いも楽しい。

十日町産業 文化発信館 いこて

`カフェ` `食事処` MAP:P032 ⓫

[場所] 十日町市本町5丁目39-6
[OPEN/定休] 火水金土11:00〜21:00 水日11:00〜17:00／月
[TEL] 025-755-5595

市民憩う十日町の新しい「雁木」
大きなかまくらを思わせる木造建築。積雪下の往来のため町家の軒先に設けられた「雁木造」からヒントを得たという。カフェでは、十日町の食材や地域で食べ継がれる料理もいただける。

モダン食堂 KICHI

食事処　MAP:P032 ⑫

[場所] 十日町市若宮町372 大清ビル1F
[OPEN/定休] 18:00〜23:30／不定休
[TEL] 025-752-6493

人々集う十日町の「KICHI」
店内の雰囲気はさながら「大人の秘密基地」。ハンバーグやピザなどの洋食やスイーツを楽しみながらゆったりと過ごせる。店主は大地の芸術祭ファン。カウンターから話しかけてみては。

お菓子処 木村屋 駅通り本店

お土産　MAP:P032 ⑬

[場所] 十日町市駅通り98-1
[OPEN/定休] 8:30〜18:00／無休
[TEL] 025-752-2280

歴史ある甘いお菓子で一休み
大正12年創業の老舗菓子屋。黄身餡に一粒まるごとの栗をパイ生地でくるんだ「つぼんこ」が女性に人気。店内にはお茶やコーヒーが飲める休憩スペースもある。

喰いどころ 豊吉

食事処　MAP:P032 ⑭

[場所] 十日町市関口樋口町107-4
[OPEN/定休] 17:00〜22:00 (L.O.21:30)／月、第1日曜日
[TEL] 025-757-9629

季節の一番おいしい食材を気軽に
地元十日町の旬な食材をリーズナブルな値段で提供する居酒屋。新鮮な海鮮から新潟ならではのローカルフード、地酒の飲み比べも楽しめる。カウンターもあるので一人でも入りやすい。

情熱酒場 トガリ

食事処　MAP:P032 ⑮

[場所] 十日町市駅通り8
[OPEN/定休] 17:00〜25:00／月
[TEL] 025-755-5739

カジュアルで温かみのある居酒屋
串揚げ串焼きをメインに地産の地鶏を使用したメニューなどが楽しめる居酒屋。ドリンクメニューも充実。落ち着いた色合いの照明や提灯のある店内で、一日の思い出を語り合おう。

松乃寿司

食事処　MAP:P032 ⑯

[場所] 十日町市加賀糸屋町103-1
[OPEN/定休] 11:00〜24:00／日
[TEL] 025-757-2234

板前さんはブーメラン名人!?
握りはもちろん、昔ながらのマスやサバの押し寿司もおいしい老舗寿司店。店主はなんとブーメランの名人でもあり、手作りブーメランの作り方を教えてくれる。親子連れにも人気だ。

焼肉 とし牛

食事処　MAP:P032 ⑰

[場所] 十日町市下島372-1
[OPEN/定休] 11:00〜14:00、17:00〜22:00／無休
[TEL] 025-761-7500

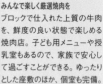

みんなで楽しく厳選焼肉
ブロックで仕入れた上質の牛肉を、鮮度の良い状態で楽しめる焼肉店。子ども用メニューや授乳室もあるので、家族で安心して過ごすことができる。ゆったりとした座敷のほか、個室も完備。

すし道楽 十日町店

食事処　MAP:P032 ⑱

[場所] 十日町市上島丑596-17
[OPEN/定休] 11:30〜20:45／不定休
[TEL] 025-750-7600

地場の旨みを凝縮した回転寿司店
中越地方の人々に愛されるローカルな回転寿司店。「魚のアメ横」寺泊直送の地魚を中心に、その日の旬な魚を味わうことができる。シャリには魚沼米の最高峰、塩沢産コシヒカリを使用。

惣菜屋ももたろう

お土産　MAP:P032 ⑲

[場所] 十日町市西本町1丁目399-2
[OPEN/定休] 10:00〜18:00／日
[TEL] 025-757-1215

丁寧に手作りされた惣菜が評判
地産食材を取り入れながら一つひとつ手作りにこだわった惣菜店。新潟県産の肉とご飯を存分に楽しめる「とろけるチャーシュー丼」は全国の惣菜コンテストで優秀賞を受賞。魚沼米を使ったお弁当も。

魚沼酒造株式会社 お土産 MAP：P024/2-B⑳

[場所]十日町市中条丙1276
[OPEN/定休]8:00～17:00／日祝
[TEL]025-752-3017

異色の旨口が特徴の隠れた銘酒
辛口の多い新潟では珍しい、フルーティーな旨口が特徴の酒蔵。地産の酒米を魚沼の山々の伏流水で仕込むそのこだわりの味は、知る人ぞ知る。大地の芸術祭とコラボしたアートボトルも。

株式会社 大又食品 お土産 MAP：P024/2-B㉑

[場所]十日町市川治984
[OPEN/定休]月火木金13:00～
17:30、土10:00～17:00／水日
[TEL]025-752-3407

地産豆腐の新たな可能性がここに
十日町のほとんどのスーパーや給食に採用されている、地域ではおなじみの豆腐屋。直売所では、豆腐とアイスを混ぜた、さっぱり味が人気の「もめんシェイク」や豆乳ドーナッツも嬉しい。

バウムリンゲ お土産 MAP：P024/2-B㉒

[場所]十日町市妻有町東2-5-9
[OPEN/定休]9:00～18:00（パンが無くなり次第終了）／火水
[TEL]025-755-5545

凄腕職人による豊かなパンの世界
パンの世界大会で入賞経験がある職人が営む、客足の絶えない人気店。ケーキやクッキーの食感も味わえる「クロワッサンB.C.」のほか、菓子パンからフランスパンまで幅広い品ぞろえ。

そばの郷 Abuzaka 食事処 MAP：P024/2-A㉓

[場所]十日町市南鐙坂2132
[OPEN/定休]11:00～15:00／木
[TEL]025-755-5234

とれたて食材を、ビュッフェスタイルで自家製そばかうどんのどちらかを選んで、地元野菜や山菜による惣菜をビュッフェスタイルで楽しめるお店。そばの実をブレンドした十日町コーヒーもおすすめ。

直志庵さがの 食事処 MAP：P024/2-B㉔

[場所]十日町市伊達甲1047-11
[OPEN/定休]11:00～15:00
17:30～20:00（L.O.19:30）／不定休
[TEL]025-758-4001

そばの可能性を追求した極上の味
そばへのあくなき探究を続ける店主こだわりのへぎそばが味わえる。細めに打ち上げられたそばは、十日町産とよむすめを100％使い、喉越しの良さと歯切れの良さが特徴。

IL CATLA GRILL 食事処 MAP：P024/3-A㉕
（イルカトラグリル）

[場所]十日町市馬場丁1356-4
[OPEN/定休]11:30～14:30(L.O. 14:00)、18:00～
21:30(L.O. 21:00)／月、第4日曜、木(夜)
[TEL]025-755-5366

その時々の旬を楽しめる洋食店
オムライスやハンバーグが人気の、小さな洋食店。その日入荷した食材を使った旬なメニューにも注目したい。季節限定のデザートや、エスプレッソでつくる女将のカフェラテも人気。ドリンクはテイクアウトOK。

ever.doichi カフェ MAP：P024/3-A㉖
坂の途中のカフェとジム

[場所]十日町市馬場丁1396-1
[OPEN/定休]平日10:00～17:30、土日祝9:00
～16:30／水木
[TEL]025-755-6611

心身ほぐれるカフェ＆ジム
カフェとヨガのできるジムが一体となった施設。一階のカフェは、高い天井と採光の良い大きな窓が気持ちよい。グルテンフリーの焼き菓子やグラスパフェに、こだわりのコーヒーを合わせたい。

B_B マクロビオティック／ カフェ MAP：P024/3-B㉗
しゅっとコンディショニング

[場所]十日町市伊達甲949-15
[OPEN/定休]月火木金8:00～17:00、金土8:00
～20:30／水日 [TEL]025-755-8080

体に浸透していく優しいご飯を
フィットネスルーム併設のマクロビ喫茶。体のことを考え抜かれた養生ご飯は、普段の食生活への新しい気づきにもなるだろう。マクロビ定番飲料やヴィーガンおやつを提供する、市内唯一の店。

串焼・海鮮 まつ海 ［食事処］ MAP：P024/3-A ㉘

［場所］十日町市馬場丁1316-2
［OPEN/定休］11:30～13:30、17:00～22:30／月
［TEL］025-758-3951

新潟の山海食材を炭火で味わう
国産備長炭で焼き上げた地鶏串が味わい深い。寿司職人だった先代から引き継いだ海鮮料理にもこだわりが。全国から厳選した日本酒と合わせ、地元の恵みを思う存分感じてみよう。

鰻と鯉の小八家 ［食事処］ MAP：P050/2-C ㉙

［場所］十日町市中屋敷319-8
［OPEN/定休］11:30～13:30、17:30～21:30／木
［TEL］025-768-2032

熟練の技によるうなぎ、鯉料理を
うなぎと鯉料理が評判の川魚割烹。自家製の継ぎ足しタレで食べる蒲焼や白焼は絶品。鯉は刺身や洗い、鯉こくなど。臭みもなく、骨まで柔らかく楽しめる。リーズナブルな定食も嬉しい。

小嶋屋総本店 ［食事処］ MAP：P050/2-C ㉚

［場所］十日町市中屋敷758-1
［OPEN/定休］11:00～20:00／不定休（月1～2日臨時休業あり）
［TEL］025-768-3311

布乃利そば発祥の店
創業100年を超える、「布乃利」そば発祥の店。フノリ（海藻）つなぎで打ち上げたそばは、滑らかな喉越し、独自の風味と歯応えが特徴。一切妥協しない伝統の味を、現代に伝える。

松乃井酒造場 ［お土産］ MAP：P050/2-C ㉛

［場所］十日町市上野甲50-1
［OPEN/定休］8:00～17:00／土日祝
［TEL］025-678-2047

小規模ならではの丁寧な酒造り
赤松林からの湧水、自社精米の良質な酒米で作る妻有の辛口銘酒「松乃井」。手作業での麹米の洗米や火入れといった昔ながらの丁寧な酒造りが特徴。芸術祭とコラボしたアートボトルも。

ファームランド・木落 ［お土産］ MAP：P050/2-C ㉜

［場所］十日町市木落1366-3
［OPEN/定休］8:00～18:00／水日
［TEL］025-761-1331

妻有ポークを一番おいしい状態で
地産豚である妻有ポークにこだわる精肉店。里山の上質な環境で育った豚はえぐみが一切なく、芳醇な旨みを楽しめる。熟成肉の独自ブランド「黒ラベル」は、とろけるような食感が絶品。

食料品と惣菜の店 だいも ［お土産］ MAP：P050/2-C ㉝

［場所］十日町市上野甲854-1
［OPEN/定休］8:00～20:00／日
［TEL］025-768-3630

心のこもった惣菜にほっこり
自家製の惣菜がウリの、家庭的なミニスーパー。一番人気は「じゃがいもゴロッとコロッケ」。じゃがいもを粗くつぶしたゴロッとした食感が嬉しい逸品だ。

割烹おかめ ［食事処］ MAP：P050/1-C ㉔

［場所］十日町市仁田631-6
［OPEN/定休］11:00～13:30、17:00～21:30／水
［TEL］025-768-4318

インパクト抜群のブラック天丼を
秘伝の黒タレがかかった「ブラック天丼」が名物。どんぶりに所狭しと乗った長い天ぷらで身心も満足。ジューシーな妻有ポークのカツ丼や、こだわりの定食や裏メニューも楽しめる。

norizo cafe ［カフェ］ MAP：P062/1-B ㉟

［場所］十日町市山崎ロ77-1
［OPEN/定休］11:30～17:00／不定休
［TEL］025-763-2057

気取らない空間で出会う驚きのおいしさ
「割烹田町屋」内で開いている小さなカフェ。東京の星付フレンチで修行したシェフの技が光る。じっくり煮込まれた妻有ポークを使ったシチューから手作りスイーツまで取りそろえる。

山ノ家 Cafe&Dormitory

カフェ　MAP：P070/2-B ㊱

[場所] 十日町市松代3467-5
[OPEN/定休] 12:00〜18:00／火水
[E-MAIL] info@yama-no-ie.jp

地元の旬菜を味わう、お洒落なカフェ
地場野菜をふんだんに使ったランチやスイーツを楽しみながら、自分のリズムで過ごせるカフェ。展示や音楽イベントなど多様な活動を発信する場にもなっている。2階はドミトリーで宿泊可能。

妻有ビール株式会社

お土産　MAP：P070/2-B ㊲

[場所] 十日町市太平474-1
[OPEN/定休] 10:00〜17:00／火水（左記以外も不在の場合あり、要事前連絡）
[TEL] 090-1037-4388

妻有の魅力を詰め込んだビール
越後妻有に根づき、当地ならではのビール蔵を目指すブルワリー。醸造所では専用の持ち帰り瓶で1リットルの量り売りを行っている。そばの実をローストして使用したそばエールが人気。

レストラン 希望館

食事処　MAP：P094/3-A ㊳

[場所] 十日町市松之山天水越3140-10
[OPEN/定休] 11:00〜15:00（平日は14:00頃に終わる場合もあり）／無休
[TEL] 025-596-2994

高原で食す絶品ラーメンに舌鼓
天水山の中腹、自然豊かな大厳寺高原のキャンプ場に併設するレストラン。ただの食堂と侮るなかれ。ニラやネギ、ひき肉と豚バラ肉がてんこ盛りの「肉味噌麺」はやみつきの味！

まつのやま茶倉

お土産　MAP：P094/3-B ㊴

[場所] 十日町市松之山黒倉1150
[OPEN/定休] 9:00〜17:00／不定休
[TEL] 025-594-7188

大自然が育む「奇跡のハーブ」を
松之山の山中で芽吹いたハーブ、神目箒（ホーリーバジル）の栽培販売を行っている。すっきりとして香り高く、飲めばゆったりとリラックスできる。抗酸化作用などの効能も豊か。

ママのおやつ

カフェ　MAP：P104/1-C ㊵

[場所] 津南町大字下船渡甲7190-2
[OPEN/定休] 10:00〜19:00／水
[TEL] 025-755-5082

農家ならではの手作りのおいしさ
地元農家による洋菓子店。地元素材による米粉ロールケーキは、ふんわりとした優しい味。夏には自家製シロップによるかき氷やジンジャエールが◎。広めのイートインは休憩にピッタリ。

津南菓子処 松屋

お土産　MAP：P104/1-B ㊶

[場所] 津南町大字下船渡丁2222
[OPEN/定休] 7:00〜18:00／日
[TEL] 025-765-2053

風味ある茶菓子から惣菜パンまで
レトロな看板が目を惹く菓子店。「山ぶどう羊羹」の爽やかな風味は品評会でも高く評価されている。地元では「パンの松屋」として知られ、気取らないおいしいパンが長く愛されている。

越後雪椿産業 株式会社

お土産　MAP：P104/1-B ㊷

[場所] 津南町大字下船渡丁216-9
[OPEN/定休] 9:00〜17:00／日祝
[TEL] 025-761-7407

雪解け水で育った魚沼米の最高峰
「雪椿」は、津南町のミネラルたっぷりの湧き水で育て上げられたブランド米。魚沼産コシヒカリの中でも特に濃厚で香り高く粘りのあるその米は、国内外の高級料理店でも扱われている。

カフェ さんばる

カフェ　MAP：P104/1-B ㊸

[場所] 津南町大字外丸丁1464-4
[OPEN/定休] 10:00〜17:00／水
[TEL] 025-755-5944

本格コーヒーとこだわりの洋食を
津南駅のすぐ目の前にあるカフェ。常時10種類以上をそろえる自家焙煎珈琲と季節のクリームソーダ、津南産の食材をたくさん使ったランチメニューが人気だ。フリーWi-Fi完備で利便性も抜群。

日帰り温泉 〜〜

越後妻有交流館 明石の湯　MAP：P032 ㊹

[場所] 十日町市本町6-1-71-2
[OPEN/定休] 11:00〜21:00（20:30受付終了）
／火水（祝は営業）
[TEL] 025-752-0117
[料金] 大人800円、小学生400円

開放感あふれる贅沢空間で温まる
芸術祭の拠点となる「越後妻有
交流館」内にある温泉。京都駅
を手がけた建築家・原広司による
開放的な浴場で、身も心もリ
ラックス。館内では、作品展示
やお土産、食事も楽しめる。

まつだい芝峠温泉 雲海　MAP：P070/1-B ㊺

[場所] 十日町市蓬平11-1
[OPEN/定休] 10:00〜20:00／水
[TEL] 025-597-3939
[料金] 大人800円、小学生400円

眼下に広がる絶景に浮世を忘れる
棚田を見下ろす絶景温泉。神
経痛や筋肉痛などに効果のある
「実力派」の泉質に心も身体も
リラックス。食事処や広々とした
休憩室もあり、入浴後ものんび
り過ごすことができる。

原町温泉 ゆくら妻有　MAP：P062/2-B ㊻

[場所] 十日町市芋川乙3267
[OPEN/定休] 平日10:00〜22:00、土
日祝5:00〜22:00
[TEL] 025-763-2944
[料金] 大人800円、小学生400円

自然の恵みたっぷりの濃厚な温泉
淡黄色の湯でしられる個性的な
温泉。豊富な源泉は加熱や循
環することなく、そのまま掛け流
し。自然のままの、効能豊富な
温泉は体がよく温まり、通い詰
める湯治客も多い。

宮中島温泉 ミオンなかさと　MAP：P067 ㊼

[場所] 十日町市宮中己4197
[OPEN/定休] 10:00〜22:00（21:30受
付終了）／木
[TEL] 025-763-4811
[料金] 大人800円、小学生400円

せせらぎのモール泉にゆったり
信濃川沿いの田園に佇む温泉
宿。琥珀色の柔らかいモール温
泉は、体はポカポカ、肌はつる
つるになると、地元でも評判だ。
ラフティングやレンタサイクルなど、
アクティビティも充実。

日帰り温泉 ナステビュウ湯の山　MAP：P094/2-B ㊽

[場所] 十日町市松之山湯山1252-1
[OPEN/定休] 平日10:00〜22:00、土日祝5:00
〜22:00（最終入館受付は閉館30分前）／第
2、第4火曜日　[TEL] 025-596-2619
[料金] 平日：800円、土日祝：850円（17時以降
は100円割引）、小学生400円

屈指の泉質をベストな状態で堪能
湯浴みへのこだわりが詰まった
温泉施設。独自の熱交換シス
テムによって、自家源泉の湯を加
水で成分が薄まることなく楽しめ
る。サウナのほか、天然水の水
風呂や絶景の外気浴スペースも。

松之山温泉センター 鷹の湯　MAP：P144 ㊾

[場所] 十日町市松之山湯本18-1
[OPEN/定休] 10:00〜21:00（20:30受付終了）
／木
[TEL] 025-596-2221
[料金] 大人600円、小学生300円

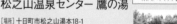

天然自噴の新鮮な温泉を日帰りで
温泉街の真ん中にある市営の
共同湯。日本三大薬湯のひと
つである松之山温泉の薬効の
ある湯を気軽に楽しむことがで
きる。塩分濃度の高い湯は湯冷
めしにくく、体の芯まで温まる。

ニュー・グリーンピア津南　MAP：P104/3-C ㊿

[場所] 津南町大字秋成12300
[OPEN/定休] 9:00〜21:00／不定休
[TEL] 025-765-4611
[料金] 大人600円、小学生400円

ゲレンデを望む温泉という贅沢
ホテル、温泉、ゲレンデ、キャン
プ場などが一体となったアミュー
ズメント施設。スキーやトレッキン
グを存分に満喫したその流れで、
絶景の展望露天風呂を堪能で
きる。

クアハウス津南　MAP：P104/2-B �51

[場所] 津南町大字芦ヶ崎乙203
[OPEN/定休] 平日14:00〜20:30、日10:00〜
20:30／水　[TEL] 025-765-3711　[料金] 内
湯：大人500円、3歳〜小学生300円／プール
＋内湯：大人1,000円、3歳〜小学生500円

バラエティー富むスポーツ温浴を
温泉を軸に、スポーツ施設を併
設した「健康増進施設」。掛け
流しの湯の源泉を利用した
プールやサウナなど、充実し
たラインナップ。スポーツジムや
ボルダリングまで楽しめる。

お宿

註釈のない場合は、1名の料金を掲載

ホテル＆ダイニングしみず

MAP：P032 52

[場所] 十日町市本町2-223
[TEL] 025-752-2058
[料金] シングル素泊 6,650円〜
ツイン素泊6,500円〜

朝食の魚沼米がおかわり自由！
国道沿い、駅からも近い好立地のビジネスホテル。朝ごはんは十日町名産の高長味噌を使ったみそ汁と、おかわり自由の炊き立て魚沼米が。食後には淹れたてのコーヒーサービスも。

ホテルニュー十日町

MAP：P032 53

[場所] 十日町市本町3-369-1
[TEL] 025-752-7400
[料金] シングルルーム7,150円
ツインルーム14,300円〜、朝食900円
[HP] https://www.new-tokamachi.co.jp/

フットワーク軽く過ごせる、中心街の宿
十日町駅から徒歩5分、市街地の中心に位置するビジネスホテル。周りには飲食店も多く、街を楽しむ拠点としても最適。客室は清潔感ある快適な空間で、ゆっくり安眠できる高品質なベッドが嬉しい。さらに枕の種類をリクエストできるサービスもあり。

あてま高原リゾート ベルナティオ

MAP：P024/3-A 54

[場所] 十日町市珠川 [TEL] 025-758-4888 [料金] 1泊2食付 18,740円〜35,900円

深い山々をかき分けた先にある誰もが楽しめる一大リゾート
豊かな自然に囲まれた、知る人ぞ知るリゾート地。広大で美しいゴルフ場や四季折々の自然を満喫できるアクティビティが用意されており、大人も子どもも思う存分楽しめる。
食事はビュッフェ、洋食、和食会席などを用意。新潟の旬の食材や食文化の粋を集めた上質な食事をさまざまなかたちで堪能できる。四季折々の自然を一望しながら入る温泉も素晴らしく、思わず日常を忘れてしまうほど。

小さな子ども連れの家族や、3世代での旅行などにおすすめのファミリールーム。ソファー＆テーブルのほか、足を伸ばしてくつろぐことのできる6畳の和室も完備。

十日町ふれあいの宿交流館 & みはらしcafé

MAP:P032(55)

[場所] 十日町市稲荷町4-367-1
[TEL] 025-752-3289
[料金] 1泊朝食付 9,500円～

見晴らしのいい古民家でのんびり

雪国の伝統建築「せがい造り」の宿。魚沼産コシヒカリをはじめ、地元の恵みにあふれた朝食が楽しめる。併設のカフェで、オーガニックコーヒーとともにゆっくり田園を眺めることも。

里山十帖 THE HOUSE SEN

MAP:P050/2-C(56)

[場所] 十日町市伊勢平治13-1
[TEL] 0570-001-810
[料金] 1泊2食付、1棟 47,451円～

里山が織りなす贅沢なひとときを

見晴らしの良い丘の上の美しい民家を贅沢に一棟貸し。一流建築士によりリノベーションされたその空間は驚くほど明るく、自然との一体感を満喫できる。プライベートサウナも完備。

宮中島温泉 ミオンなかさと

MAP:P067/1-B(57)

[場所] 十日町市宮中己4197
[TEL] 025-763-4811
[料金] 平日1室2名より素泊1泊5,500円（入湯税150円別途）～
[定休] 木

田園の中、のんびりとした1日を

田園風景の豊かな自然に囲まれた温泉宿。客室「信濃川」では、陶器の内風呂が付いており、家族でゆったりと過ごすことができる。川辺を眺めながら日がな一日温泉に浸かってみてはいかが。

林屋旅館

MAP:P062/1-B(58)

[場所] 十日町市山崎己1463-子
[TEL] 025-763-2016
[料金] 素泊7,000円、朝食付8,000円、2食付11,000円

湧き水流れる和風旅館

リニューアルして30年、大地の芸術祭とともに多くのお客様を迎えてきた玄関ホールは、奥から外へ湧き水が流れる癒しの空間。客室は和室・洋室を選ぶことができる。旬を凝縮させた料理も魅力。

清津館

MAP:P062/3-C(59)

[場所] 十日町市小出癸2126-1
[TEL] 025-763-2181
[料金] 1泊2食付 14,950円～

大渓谷に包まれてのんびり湯治を

清津峡渓谷トンネルに一番近い宿。源泉100%かけ流しの効能豊かな内湯と、川沿いにある絶景露天風呂を満喫できる。地元の食材を使った田舎料理とおもてなしにもほっこり。

カールベンクス古民家ゲストハウス

MAP:P070/2-B(60)

[場所] 十日町市松代3345
[E-Mail] contact@kb-guesthouse.com
[料金] 素泊1室15,000円（2名利用時）、12,000円（1名利用時）

日本建築への愛を随所に感じる宿

古民家改修を手がける建築デザイナー、カール・ベンクス氏によるゲストハウス。外装はドイツらしいレンガ調。中に入ると、大きな梁など、もとの古民家の意匠を活かした瀟洒な空間が。

山ノ家 Cafe&Dormitory

MAP:P070/2-B(61)

[場所] 十日町市松代3467-5
[E-MAIL] info@yama-no-ie.jp
[料金] 素泊5,000円、朝食付6,000円

里山の小さな文化交流の拠点

都市と里山のどちらをもホームとして、両者を行き交うための場としてつくられた複合スペース。2階は二段ベッドのカジュアルなドミトリー。1階にはカフェやショップも。まつだい駅から徒歩5分。

民宿みらい

MAP:P070/2-B(62)

[場所] 十日町市松代2067-1
[TEL] 050-3700-6231
[料金] 素泊1棟貸切 4名24,000円～

囲炉裏の残る、本格的な古民家宿

どぶろく醸造所を併設するユニークな一棟貸切宿。古民家ならではの囲炉裏はなんと現役。実際に火を起こして温まったり調理をすることも。雪国ならではの田舎暮らしを体験してみては。

まつだい芝峠温泉 雲海

MAP：P070/1-B ③

[場所] 十日町市蓬平11-1
[TEL] 025-597-3939
[料金] 1室2名より、1泊2食付 2名
12,800円〜

露天から望む圧巻の風景を堪能
絶景露天風呂が自慢の一軒
宿。豊かな泉質に包まれなが
ら、雄大な山々の稜線や美しい棚田
に魅了される。気象条件が揃え
ば雲海の幻想的な姿を見られる
ことも。地産食材による料理も
味わえる。

よもぎHouse

MAP：P070/1-B ③

[場所] 十日町市蓬平149
[TEL] 090-2557-8977
[料金] 素泊2名より、1棟12,600円〜

露天風呂とともに里山暮らしを満喫！
2023年にオープンしたばかりの、
一棟貸切の小さな宿。集落の
高台に位置しており、露天風呂
からの見晴らしが自慢。時期に
よっては山菜狩りや納豆作り体
験ができることも。

やぶこざきキャンプ場・
コーヒーとタープ

MAP：P070/1-B ③

[場所] 十日町市蓬平829
[INSTAGRAM] @yabukozaki / rice_terraces_ao
[料金] 1泊1名1張2,500円〜

大パノラマをコーヒーとともに
十日町の山並みや集落を一望する開放的な高原キャンプ場。
空を遮るものがなく、夜になると星が綺麗にまたたく。運が良
ければ早朝、雲海を望むこともできる。
「コーヒーとタープ」は、週末・祝日限定の、このキャンプ場で
オープンする店。タープの下で飲む、東ティモール産のこだ
わりコーヒーは格別。キャンプで飼育している鶏の卵を使っ
たチーズケーキとの相性も抜群だ。

松代棚田ハウス

MAP：P070/2-B ③

[場所] 十日町市松代5570-1　[電話] 025-594-7555　[料金] 1泊2食付8,350円〜

HP

美しい棚田の中に佇む
フルセルフのリーズナブルな宿
松代中学校の冬季寄宿舎をフルリノベーションした宿。
ベッドメイキングやチェックイン・アウトなどは基本的にセル
フで行う。周囲には棚田が広がり、四季によって移り変
わる美しい光景を目にすることができる。
食事は、地元の山菜や新鮮野菜をふんだんに使った里
山らしい郷土料理を味わえる。夕食には、新潟で長く愛さ
れるわっぱ飯も楽しめる。

洋室には二段ベッドがふたつあり、それぞれカーテンで仕切ら
れる。また、話題の冷凍スイーツ・おつまみ・軽食を冷凍自販
機にそろえており、いつでも食べられる。駅から近く、アクセス
も良好。津南や市街地への芸術作品巡りの拠点としての利
用もおすすめだ。

松之山温泉組合

日本三大薬湯の地へようこそ

草津・有馬に並び、日本三大薬湯のひとつに数えられる松之山温泉。室町時代、越後守護上杉家の隠し湯であったという説もあり、その効能は古くから知られています。湯の正体は、1200万年以上前に地中に閉じ込められた化石海水のため、塩分が強く、冬でも湯冷めしないといわれます。松之山温泉街は、一本の小径をはさんで飲食店やお土産屋さん、外湯などが並びます。懐かしい温泉情緒を味わいながら、湯街歩きを楽しんでみましょう。

松之山フォトポイント！
#松之山温泉街
#松之山ぐらむ

ブラックシンボル

不動滝

薬師堂（子安観音）

湯やぐら

湯守処 地炉

山愛
十一屋商店
まるたか
野本旅館
凌雲閣
玉城屋
白川屋
和泉屋
湯治BAR／
松之山温泉里山ビジターセンター
手打ラーメン 柳屋
松之山温泉センター 鷹の湯
醸すカフェ
日の出屋
ひなの宿ちとせ／松之山郷
寿々木
みよしや
明星
コンビニ（Yショップ）⏰7:00〜19:00
バス停
ふくずみ
さか新
滝見屋
P
WC
温泉街入口駐車場

蕎麦と天ぷら 滝見屋

食事処 MAP：P144 67

［場所］十日町市松之山湯本1390-1
［OPEN／定休］11:00〜20:00（L.O.19:30、中休み有り）／不定休
［TEL］025-596-2307

麺と油の誘惑！！
地元産そば粉を使った艶のある絶品ふのりそばが味わえる。旬の地産食材を使った天ぷらは、銀座にある老舗店仕込みの本物の味。揚げたて熱々の天ぷらを味わってみては？

さか新

食事処 MAP：P144 88

［場所］十日町市松之山湯本32
［OPEN／定休］11:00〜13:30、17:00〜21:00／
不定休　［TEL］025-596-2164

新鮮地鶏の香りが食欲をそそる
名物の「やきとり丼」は、自身の山小屋で飼育された地鶏「越の鶏」を使用。特製の醤油だれに絡めた照り焼きがご飯によく合う。また、小上がりの鉄板で、お好み焼きを楽しむことも。

寿々木

食事処 MAP：P144 69

［場所］十日町市松之山湯本19-6
［OPEN／定休］17:30〜21:00（L.O.20:30）／月
（臨時休業あり）　［TEL］025-596-2930

その一日一番の旬を味わい尽くす
季節の地産食材を活かした郷土料理をはじめ、山海の幸をその日一番おいしいかたちで味わえる料理店。地豚・つなんポークによるカツ丼のほか、旬の肴とともに選りすぐりの地酒を堪能できる。

日の出家

食事処 MAP：P144 76

［場所］十日町市松之山湯本19-2
［OPEN／定休］11:00〜14:00、17:00〜21:00／
第2・第4木曜　［TEL］025-596-2491

出汁が決め手の"おふくろの味"
松之山の名物おみん、花ちゃんが切り盛りする店。看板メニューのあごだし和風ラーメンは、コクがあってスッキリと深みのある味わい。おかみのおもてなしを感じるおつまみもあり。

松之山郷（ひなの宿ちとせ2F）

食事処 MAP：P144 71

［場所］十日町市松之山湯本49-1
［OPEN／定休］11:30〜14:00（13:30L.O.）／月火
［TEL］025-596-2525（ひなの宿ちとせ）

老舗旅館ならではの自慢のランチを
妻有ポークの温泉熱調理「湯治豚」や「にいがた和牛」をランチでリーズナブルに楽しめる。温泉＆ランチのセットプランも好評（※お電話にて事前予約がおすすめです）。

十一屋商店

 お土産 MAP:P144⑫

[場所] 十日町市松之山湯本9-1
[OPEN/定休] 8:30～18:00/不定休
[TEL] 025-596-3355

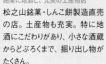

銘菓に地酒と、充実の土産物店
松之山銘菓・しんこ餅製造直売の店。土産物も充実。特に地酒にこだわりがあり、小さな酒蔵からどぶろくまで、掘り出し物がたくさん。

山愛

食事処 MAP:P144⑬

[場所] 十日町市松之山湯本8-1
[OPEN/定休] 11:00～14:00、17:00～20:00/不定休 [TEL] 025-596-2055

地産の極厚トンカツに大満足！
地元で愛される老舗の名物食堂。津南産ポークを200gも使ったボリューム満点のカツ丼にはびっくり。旨みが染み込み肉厚があるが、食感は柔らかく箸が進む。お座敷もあり。

まるたか

お土産 MAP:P144⑭

[場所] 十日町市松之山湯本9-5
[OPEN/定休] 8:30～18:00/不定休
[TEL] 025-596-2076

松之山の名物物産が所狭しと並ぶ
香り高い地元産の熊笹で包まれたよもぎのしんこ餅が名物。地産みそと魚沼米で作る松之山せんべいも味わい深い。他にもどくだみ茶や温泉化粧水など、店内は地元アイテムでいっぱいだ。

手打ちラーメン 柳屋

食事処 MAP:P144⑮

[場所] 十日町市松之山湯本16-3
[OPEN/定休] 11:00～14:00、17:00～21:30/木
[TEL] 025-596-2065

温泉の豊かな恵みが、この一杯にあっさりと優しい味わいが五臓六腑に染み渡るラーメン店。スープによく絡む自家製ちぢれ麺には、魚沼米の米粉と温泉の源泉が練り込まれている。温泉熱で調理したチャーシューとともに。

醸すカフェ

カフェ MAP:P144⑯

[場所] 十日町市松之山湯本字川下19-1
[OPEN/定休] 9:30～17:00/主に火水（酒の宿玉城屋に準じる）[TEL] 025-597-7105

とろとろ極上プリンにほっこり
温泉街のランドマーク、鷹の湯のそばにあるカフェ。シェリー酒や日本酒を使った、松之山温泉の新名物「醸すプリン」は絶品。ジューシーな地産豚の旨みが楽しめるハンバーガーも。

湯治BAR

食事処 MAP:P144⑰

[場所] 十日町市松之山湯本9-4（ひなの宿ちとせ向い）
[OPEN/定休] 16:00～23:00（日中はカフェ営業）/月火
[TEL] 090-2386-1824

温泉街に佇むモダンな空間
夜にバーとして楽しめるコミュニティスペース。室内は越後杉を使った温かみのある空間。18時から火入れをし、地元のブナやナラを薪に使った窯で作る山菜ピザは格別。

松之山温泉の宿

素泊まりの宿 みよしや MAP:P144⑱

[場所] 十日町市松之山湯本19-1 [TEL] 025-596-2017
[料金] 素泊6,750円

白川屋 MAP:P144⑲

[場所] 十日町市松之山湯本55-1 [TEL] 025-596-2003
[料金] 1泊2食付15,550円～

山の森のホテル ふくずみ MAP:P144⑳

[場所] 十日町市松之山湯本1388-2 [TEL] 025-596-2323
[料金] 1泊2食付15,550円～

和泉屋 MAP:P144㉑

[場所] 十日町市松之山湯本7-1 [TEL] 025-596-2001
[料金] 1泊2食付18,850円～

野本旅館 MAP:P144㉒

[場所] 十日町市松之山湯本56 [TEL] 025-596-2013
[料金] 1泊2食付14,950円～

松之山温泉
里山ビジターセンター

カフェ お土産 MAP:P144⑰

[場所] 十日町市松之山湯本9-4（ひなの宿ちとせ向い）
[OPEN/定休] 9:00～12:00、13:00～17:00（カフェL.O.16:00）/火・不定休 [TEL] 025-595-8588

旅人が集う松之山の新しい拠点
松之山温泉の観光インフォメーションセンター。市内の観光案内、レンタサイクル貸出しのほか、松之山温泉コスメシリーズを販売。歩き疲れたら施設内のカフェでひと休み。

旅館 明星 MAP:P144㉓

[場所] 十日町市松之山天水越88-2 [TEL] 025-596-2544
[料金] 素泊8,450円、1泊2食付13,350円～

次ページを参照ください。 酒の宿 玉城屋・Hotel 醸す森・ひなの宿 ちとせ・松之山温泉 凌雲閣

145

ひなの宿 ちとせ

MAP:P144 ㉛

[場所] 十日町市松之山湯本49-1　[電話] 025-596-2525
[料金] 1泊2食付19,250円〜、露天風呂付客室1泊2食付33,000円〜

緑まぶしい山峡のいで湯へ、
温泉×里山×アートの旅

全館畳敷の開放的な老舗旅館。靴を脱いで足指をひらいて湯浴みに行こう。松之山の湯は肌ざわりが濃厚で、香りも独特な個性派だ。約92度という高温で湧くため、湯船の温度もやや熱め。しかしこれが、地元の人にとってはくせになるという。露天に浸かりのびのびと体を伸ばせば、里山を吹き渡る風が気持ちよい。

2023年ツーリズムのプロが選ぶ「にっぽんの温泉100選・人気温泉旅館・ホテル250選」選出の宿。もみ殻を燃料にしたぬか釜炊きで、棚田コシヒカリの熱々塩にぎりを。温泉熱のみで低温調理した妻有ポーク「湯治豚」も絶品。

酒の宿 玉城屋

MAP:P144 ㉜

[場所] 十日町市松之山湯本13　[TEL] 025-596-2057
[料金] 1泊2食付33,150円〜、日本酒ペアリング7,700円、ワインペアリング13,200円

フレンチと日本酒から
生まれる新しい体験を

新潟地産の食材を活かしたフレンチと選りすぐりのお酒が楽しめる宿。都内一流レストランで修行を重ねたシェフが自ら山に入り収穫した旬の食材を、郷土の発酵の知恵を織り交ぜながら創られる料理は、忘れられない味になるだろう。世界的な利き酒師がおすすめする日本酒やワインも魅力。酒どころ新潟の隠された銘酒を、料理と自身の好みに合わせてセレクトしてくれる。

全8部屋のうち、6部屋は源泉かけ流しの露天風呂付客室。山々の自然に囲まれた落ち着きのある空間でゆっくり湯船に浸かり、セレクトされたワインを味わう。そんな究極の贅沢を。

松之山温泉 凌雲閣

[場所] 十日町市松之山天水越81　[TEL] 025-596-2100　[料金] 素泊8,950円〜、1泊2食付15,550円〜

自然に囲まれた上質な薬湯を
歴史あるおもてなしのもとで

名湯・松之山温泉の中でもひときわ格式のある老舗旅館。昭和13年に建てられた本館は、登録有形文化財に指定されている重厚な建築。また、宮大工の遊び心がちりばめられた客室にも注目したい。美しい飾り窓と欄間、天井には和傘のような意匠や、将棋盤が浮かぶ客室も。

大浴場は自家源泉「鏡の湯」をふんだんに使った浅緑色の温泉。創業当時と変わることなく人々の体を温め、癒し続けている。

豪雪地帯の松之山。ときには3m以上積もることもある環境だからこそ、この地で採れる野菜や山菜は甘みが凝縮されている。地産食材を活かした料理をご賞味あれ。

Hotel 醸す森

MAP:P094/2-B

[場所] 十日町市松之山黒倉1879-4　[TEL] 025-596-2200
[料金] 1泊2食付17,200円〜、日本酒ペアリング6,600円、ワインペアリング8,800円

松之山の風土や地酒との出会いから
新しい自分を「醸す」宿

リニューアルされたばかりのシックなホテル。モダンな内装とインテリアが目を惹く。大きな窓からは自然に囲まれた松之山の雄大な景色が一望できる。

「醸す」との名前のとおり、充実した日本酒のラインナップが自慢のひとつ。館オリジナル銘柄「kamosu mori」をはじめ、個性的な地酒を味わう上質な時間を楽しめる。部屋のタイプは、別棟ヴィラからカジュアルなスタイルまで幅広く用意している。

越後杉を使った落ち着きのあるダイニングでは、ディナーはフレンチ、朝食は地元食材を使った和食が楽しめる。森の中に佇むアートを眺めながら、お酒を楽しむのもオススメ。夜には美しい星空が広がり、朝は雲海が見られることも。

津南町旅館組合

津南町のお宿

津南町は、日本有数の豪雪地帯であるとともに、長い年月をかけて形成された自然の芸術「河岸段丘」で有名な地域です。冬には毎年3mもの雪が積もり、春には地下に浸透したきれいな雪解け水が、河岸段丘のだんだんを勢いよく流れ、お米や野菜などを潤し、おいしく育てます。

そんな津南町では、東西南北のいろいろな場所に宿泊することができます。町中はもちろん、川の近くや崖の上、秘境と呼ばれる秋山郷など。皆さまのお好みに合うお宿が必ず見つかるはずです。お宿から見える景色は、それぞれまったく異なりますので、ぜひ何度でも訪れて津南町のいろいろな表情をお楽しみください。

見玉集落の大久保地区と呼ばれる場所にある「津南見玉公園」は中津川左岸の絶壁が特に有名で、四季折々の景観を楽しむことができる。

日本最大規模の河岸段丘と日本一の信濃川を一望できる「川の展望台」からの景色。標高は440mで、夏は一面の緑を、冬は豪雪地帯ならではの大パノラマを臨む。

ニュー・グリーンピア津南

MAP: P104/3-C ㊼

[場所] 津南町秋成12300　[TEL] 025-765-4611　[料金] 1泊2食付14,100円〜

**広大な苗場山麓の大自然を
思う存分楽しみ尽くそう！**

標高650mの津南高原に広がる100万坪のオールシーズンリゾート。広大なゲレンデをはじめ、グランピング、キャンプ場、プールなど、たくさんのアクティビティを楽しむことができる。
遊び疲れたら、併設されているホテルで温泉に浸かってのんびり過ごそう。ディナーには、カニ食べ放題が目玉のバイキングや苗場山麓の伏流水で育った旬の食材を楽しめる創作懐石コースなど四季折々のメニューを用意している。

山菜採りやナイトウォッチング、雪散歩など、季節ごとのイベントやツアーに参加してとことん遊び尽くすのもおすすめ。リフトで上ったところにある展望台からは、ダイナミックな苗場山麓の姿をパノラマで眺めることができる。

越後田中温泉 しなの荘

MAP: P104/2-B ㊽

[場所] 津南町上郷上田乙2163　[TEL] 025-765-2442　[料金] 1泊2食付16,000円〜（素泊まり可）

**美肌の湯が自慢の
小さなお宿でほっと一息**

悠々と流れる信濃川のほとりにひっそりと佇む静かな宿。硫黄がほのかに香る茶褐色の温泉は、自家源泉100％の掛け流し。ぬるめで湯あたりしにくい優しいその湯は、肌なじみもよく、「美人の湯」として地元民からも評判だ。
夕食は、津南ポークや山菜、川魚などといった地場産食材をふんだんに使った田舎御膳を用意。この地域だけで食べられる精米したての魚沼米は、まさに絶品。2024年3月に別館客室がリニューアル。

ヒノキ風呂付きの特別室のほか、今年リニューアルしたての別館の客間もオススメ。客間からは信濃川や山里の四季折々の風景が広がり、初夏にはホタルの姿が見られることも。裏庭には一日一組限定のキャンプ場も完備。日帰り入浴も行っている。

花とほたる 湯のさと 雪国

MAP：P104/1-B **89**

[場所] 津南町外丸丁2274　[TEL] 025-765-3359　[料金] 1泊2食付14,400円～

手作りのおもてなしに
心身ともに温まる温泉宿
津南駅にほど近い、アットホームな温泉宿。かりんのような黄金色をした弱アルカリ性の温泉を、津南の田園風景を見渡しながらゆっくりと堪能できる。風呂上がりには、集落で大切に守られている新鮮な湧き水も飲める。
地産の旬の食材と精米にこだわった自家製コシヒカリによる津南ならではの田舎料理も魅力。名物は鯉こく。秘伝の煮汁を継ぎ足して煮込んだ、先代から続く伝統の味だ。

信濃川や山々の雄大な自然を楽しめる客間や、気兼ねなく入れるお風呂付き客室も用意。先代の大ばぁばお手製の押し花も、館の「ちょっとした名物」だという。居心地のよいお家のような宿で、ほっこり、ゆるりと過ごすことができる。

綿屋旅館

MAP：P104/2-B **90**

[場所] 津南町下船渡戊450　[TEL] 025-765-2034
[料金] 芸術祭特別プラン：1泊2食付シングル15,400円～、素泊8,250円～、朝食付10,450円～
※電話受付料金となりますのでご注意ください。

津南町の中心街に建つ
節々に歴史の風格を感じる老舗宿
創業200年を超える、津南町の中心部に位置する老舗旅館。文豪・吉川英治も愛した客間は格式高く、襖や掛け軸などの調度品にも伝統美を感じられる。
旬の食材や郷土色を取り入れた料理も自慢。地域の贅を尽くした会席からリーズナブルな定食まで用意している。大浴場は、神経痛や美肌に良いとされるミネラル鉱泉を使用。自然温泉に匹敵するお湯に浸かり、のんびり癒されてほしい。

津南町の商店街に位置し、観光の拠点に最適の立地。女将が作る、地元野菜をふんだんに使用している朝ごはんも嬉しい。自慢の米は、2023年度米・食味分析コンクールで最高金賞を受賞した地元農家の（株）麓のコシヒカリを使用している。

逆巻温泉 川津屋

[場所] 津南町結東丑84-1　[TEL] 025-767-2001　[料金] 1泊2食付16,600円〜

秋山郷の大自然の恵みが結集した滋養あふれる本物の秘湯を
新潟と長野にまたがる秘境・秋山郷の山中にぽつんと佇む老舗の一軒宿。岩の切れ目から自噴する掛け流しの温泉は新鮮そのもの。化粧水に浸かっているかのような柔らかい湯触りのその温泉は、眼病やアトピー、胃潰瘍などに効くとの声も。
また、山菜を用いた郷土に伝わる薬膳料理から滋味あふれるクマ鍋など、貴重な山の幸を存分に味わえる。都会の喧騒を忘れて、ゆっくり養生してみたい。

ダイナミックで豊かな自然が残る秋山郷で約200年、ひっそりと営まれる温泉。客間からは中津川渓谷を見下ろす絶景が。江戸時代から「医者いらずの湯」として伝えられた薬効ある温泉で心身を癒し、"秘境"ならではの贅沢な時間を過ごすことができる。

伊勢屋旅館

[場所] 津南町下船渡丁2447-1
[TEL] 025-765-2004
[料金] 1泊2食付8,500円〜

旅の拠点にピッタリの家庭的な宿
津南町の中心街を貫く街道沿いにあるレトロな宿。その建築には戦前の伝統的な商人宿のスタイルを色濃く残している。自家製のコシヒカリを使った家庭料理は宿泊客にも評判がよい。長期滞在にも対応しており、日替わりの料理をふるまってくれる。日数によって割引もあり、中心街にもかかわらずリーズナブルに滞在できるのも魅力のひとつ。

秋山郷結東温泉 萌木の里

[場所] 津南町結東子984-9
[TEL] 025-767-2000
[料金] コテージ宿泊 1棟18,700円〜

秘境・秋山郷を味わう拠点に
自然豊かな秋山郷の観光の「ベースキャンプ」。5棟7部屋のコテージは自炊も可能。秋山郷の特産品や山菜、川魚などを調理することができる。レストランでは岩魚の塩焼きや、秋山郷の行事では欠かすことができない煮物料理「ひら」を味わうことができる。木工芸品や特産物を扱う売店もあり。

雪国観光圏

東京からわずか70分の"異日常"へ

雪国観光圏は、大地の芸術祭の里・十日町市と津南町を含め、魚沼市、南魚沼市、湯沢町、みなかみ町、栄村の3県7市町村が連携した広域観光圏です。

毎年冬になると3mもの雪が積もります。この気候風土が根付いた約8000年前から、この地には半年近くも雪に閉ざされる冬を越すための知恵がいまも受け継がれています。さらには雪やその融水を巧みに利用した産業を開拓し、独自の生活スタイルや文化を形成してきました。

雪の多さがクローズアップされる雪国観光圏ですが、大地の芸術祭開催中の夏から秋も、たくさんの豊かな自然や歴史、文化を感じてもらうことができます。都会では味わうことのできないゆったりとした時間の流れが皆さんを待っていることでしょう。大地の芸術祭にお越しの際は、雪国観光圏の暮らしや文化を体感してみてください。

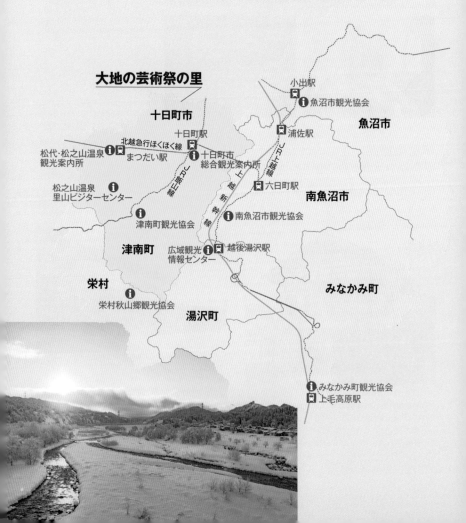

大地の芸術祭の里

小出駅
魚沼市観光協会
魚沼市

十日町市
十日町駅
浦佐駅
北越急行ほくほく線
十日町市
総合観光案内所
松代・松之山温泉
観光案内所
まつだい駅
六日町駅
南魚沼市
松之山温泉
里山ビジターセンター
南魚沼市観光協会
津南町観光協会
津南町
広域観光
情報センター
越後湯沢駅
栄村
みなかみ町
栄村秋山郷観光協会
湯沢町
みなかみ町観光協会
上毛高原駅

越後妻有とともに雪国観光圏をかたちづくる5つの地域

大地の芸術祭が展開される越後妻有に隣接する5つの地域を紹介します。各地域で見どころが異なり、自然、歴史、温泉、アクティビティと楽しみが満載。お気に入りのエリアを見つけてみましょう!

魚沼市

大自然の営みと重要文化財を含む古刹を

幕末から明治初期にかけて新潟県で活躍した彫工の名匠・石川雲蝶の代表作品を所有する寺院や、日本屈指の人造湖・奥只見湖、美術と自然、土木構築物が融合した美しいエリア。本州最大級の湿原・尾瀬ヶ原にもアクセスできる。

栄村

日本有数の景観と里山の文化を味わう

日本の秘境100選のひとつである「秋山郷」を有する。深い雪に閉ざされ、ときに周囲から孤立することもあったこの地域では、今でも独自の文化が根付いている。100名山・苗場山への登山口としても有名で、中津川渓谷沿いの紅葉はまさに絶景。

(詳細はP154)

湯沢町

首都圏からの入口として街もホテルもにぎわう

関東方面からの新潟県への玄関口であり、JR越後湯沢駅は大地の芸術祭を巡るための拠点のひとつ。駅の周辺には越後湯沢温泉の宿が並び、季節を問わず賑わいを見せる。グリーンシーズンのスキー場を活用したアクティビティも充実。

南魚沼市

日本最高級のコシヒカリが支える食を堪能!

関東方面からの車での玄関口であり、清津峡や美人林などへのアクセスも抜群! 日本最高級のブランド米「コシヒカリ」を提供する食の宝庫であり、数多くの日本酒を始めワインも醸造されている食事と宿泊に最適な地域。

みなかみ町

温泉とアウトドアの充実度は国内有数

日本で2番目に長い川、利根川の水源地であり、ラフティング、キャニオニング、カヌーなど川を活用したアクティビティを体験することができる。日本有数の温泉地でもあるので、川でたくさん遊んだ後は冷えた体を温泉で温めよう。

QRコードからダウンロード可能

Yukiguni Trip
アートめぐり、里山めぐり。

雪と旅＋大地の芸術祭デジタルパンフレット「Yukiguni Trip」

「雪国観光圏」のおすすめ情報が満載のデジタルパンフレット。気軽に行ける雲海スポットや、「魚沼コシヒカリ」に代表される"食"など、ここにしかない地域の宝ものを厳選して掲載。大地の芸術祭と一緒に楽しめる周辺地域の情報をチェックしよう。

栄村

手つかずの自然が残される豪雪の村

越後妻有から南へ足をのばすと、すぐそこに長野県栄村があります。同じ「雪国観光圏」として、越後妻有に引けを取らない雪国文化の魅力にあふれています。特に、村の南部にある秋山郷は津南町からまたがる一帯の観光地で、日本の秘境100選にも選ばれているほど。今も受け継がれている厳しい自然の中で古くから培われてきた風習やマタギ（狩猟）文化に触れることができます。《越後妻有「上郷クローブ座」》の最寄駅であるJR飯山線・森宮野原駅ではE-バイク（電動アシスト付き自転車）が借りられるので、作品とあわせて栄村の豊かな自然や食を楽しみましょう。

十日町駅
十日町市
津南駅
森宮野原駅 117
津南町 405
栄村
穴藤
逆巻
清水川原 見倉
結東
前倉
大赤沢
小赤沢
屋敷
鳥甲山▲ 上野原
和山 苗場山
赤倉山
切明
中津川

切明温泉 河原の湯

天然の温泉を、大自然の中で
切明温泉の中津川上流の河原に湧き出る温泉。スコップで掘り起こすと温泉が湧き出てくる。川の水で湯加減を調整して入浴する露天風呂は、大地の力強さを感じさせてくれる。

栄村秋山郷観光協会

天池

白樺林と山々に囲まれた絶景の池

白樺の木々に囲まれ、神秘的な佇まいを見せる自然にできた池。新緑や紅葉の時期は特に美しく、写真撮影などに多くの人が訪れる。

源泉が異なる7つの温泉

温泉好きをとりこにする、幅広い泉質の湯

北野天満温泉、中条温泉、百合居温泉、小赤沢温泉、屋敷温泉、湯ノ沢温泉、切明温泉がある。小赤沢温泉は、鉄分を多く含み酸化した赤褐色の湯が特色。また、屋敷温泉には天候によって透明や白濁色に変わる温泉がある。

栄村国際絵手紙タイムカプセル館

[場所]長野県栄村大字北信2503
[OPEN/定休]10:00～17:00 入館は閉館の30分前※予約制:前日までに電話予約／土日祝(12月～4月休館)
[TEL]0269-87-1920

世界中から集まる膨大な「絵手紙」コレクション

2000年に公募した「21世紀への絵手紙」によせられた絵手紙をはじめとする約100万通の絵手紙を次世代にのこすために建てられた。絵手紙の展示のほか、絵手紙用教材などの販売も行っている。絵手紙教室も随時開催。

道の駅 信越さかえ

[場所]長野県栄村大字北信3746-1
[OPEN/定休]8:30～17:00(12月～3月は9:00～17:00)／火(祝日の場合翌日)
[TEL]0269-87-3180

お食事に、お土産に、名産品を

エリア内の店舗では、地元農産物をはじめ、栄村の産品や近隣の産品を販売している。村で生産する完熟トマトを使ったトマトジュース、ソフトクリーム、生ハムなども人気。食堂では、フノリとオヤマボクチを使用した手打ちそばを食べることができる。

震災復興記念館「絆」

[場所]長野県栄村大字北信3586-43
[OPEN/定休]9:00～17:00／月(祝日の場合翌日)、年末年始
[TEL]0269-87-2200

栄村の災害の記憶を伝える施設

東日本大震災の翌日・2011年3月12日未明、長野・新潟県境付近を震源とする、震度6強の地震が栄村を直撃し、激しい揺れが村を襲った。この未曾有の災害を忘れることなく後世に伝えていくため、また、防災意識を高めていけるよう、復旧・復興の記録を展示している。

栄村秋山郷観光協会

[場所]長野県栄村大字北信3586-4
[OPEN/定休]9:00～17:00／月(祝日の場合翌日)、年末年始
[TEL]0269-87-3333

栄村を知るには、まずはここから

JR森宮野原駅前の震災復興祈念館「絆」内にあり、観光案内のほか、栄村のさまざまな情報を知ることができる。E-バイクのレンタルも行っており、ここから自転車で津南エリアのアート作品を巡るのも◎。

上越市

新潟に来たら足をのばしたい、海辺の町

越後妻有からほくほく線1本で訪れることができる里海のまち。他地域へのアクセスが良く、直江津港からカーフェリーで佐渡へ、上越妙高駅から北陸新幹線で金沢・東京方面へ移動することができます。今夏も、2021年から続くアートイベント「なおえつ うみまちアート」を開催します。「大地の芸術祭」とあわせて立ち寄りたい、おすすめのエリアです。

みんなでつなごう なおえつ うみまちアート2024

2023年に実施した作品・イベントの様子

大きな布に海の生き物を描くワークショップ

砂浜に設置した作品と海に沈む夕日

ライオン像のある館での市内作家の作品展示

子どもたちが作成した個性あふれるおさかなやお面

[会期] 8/24（土）〜9/16（月祝）の土日祝9日間（一部平日開催）
[会場] 上越市直江津地区
[料金] 参加無料（一部ワークショップ有料）

「みんなでつなごう」を合言葉に、アートで直江津のまちを彩るイベント。市内作家などの作品展示のほか、参加型のワークショップやスタンプラリーで子どもから大人まで楽しめる。アーティストになりきってワクワクを創作しながら直江津の歴史や文化、風土などの魅力を体感しよう。

詳しいイベント情報は「うみまちアート」で検索

あわせて行きたい! 周辺観光スポット

上越市立水族博物館 うみがたり

[場所] 上越市五智2-15-15（直江津駅下車、徒歩約15分）

マゼランペンギンの飼育数日本一を誇り、ペンギンを間近で観察できる。また、豪快なジャンプをみせるバンドウイルカや、日本海に生息する個性豊かな魚類を展示する「うみがたり大水槽」なども必見。

居多ヶ浜（親鸞聖人上陸の地）

[場所] 上越市五智（直江津駅前からバス約8分、バス停下車徒歩約1分）

配流の身となった親鸞聖人が上陸した地。公園として整備され、展望台から日本海に沈む夕日を眺めることができる。近くの居多神社をはじめ、市内には、親鸞聖人ゆかりの観光スポットが複数ある。

春日山城跡

[場所] 上越市大字中屋敷 ほか（春日山駅前からバス約5分、バス停下車徒歩約15分）

戦国時代の名将・上杉謙信公の居城としてしられる春日山城跡。空堀や土塁、大井戸など山城の特徴が残っている。標高約180mにある本丸跡からは、日本海や頸城平野、それを取り巻く山並みも一望できる。

詳しい観光情報は「上越観光Navi」で検索

歴史と自然に出会うまち。
上越観光Navi

越後妻有への交通・アクセス
お役立ち情報

越後妻有地域（新潟県十日町市・津南町）へのアクセス

大地の芸術祭が開催される「越後妻有地域」は、新潟県の中越地方にあります。東京からの所要時間は、2時間ほど。現地までの主な移動手段は、自動車や鉄道、もしくは遠方からは飛行機も便利です。時間や予算と相談しながら、交通手段を選びましょう。

※運行ダイヤなどは変更される場合があります、
　交通状況や時刻表などは事前にご確認ください
※所要時間は目安、5分単位で切り上げています
※乗り継ぎや鉄道の種類などにより、所要時間は大きく異なります

飛行機

遠方の場合は、各地から羽田空港や成田国際空港にアクセスして、電車やバス、タクシーで都心へいきましょう。越後妻有地域へは、JR上越新幹線で越後湯沢駅を目指すのがメジャーなルートです。

越後妻有

鉄道

関東方面からは、JR上越新幹線で越後湯沢駅に行くルート。大阪方面からは、JR北陸新幹線を経由して直江津駅に行くルートがあります。越後湯沢駅、直江津駅からはJR上越線または北越急行ほくほく線で十日町駅へ。長野方面からはJR飯山線が津南駅、十日町駅に直通です。本数が少ないので、事前に運行状況のご確認を。

自動車

越後妻有地域への最寄りの高速道路インターチェンジ（IC）は、方面別に以下のとおり。
関東方面から：六日町IC
北陸方面から：上越IC
長野方面から：豊田飯山IC
新潟方面から：越後川口IC

鉄道で越後妻有へ

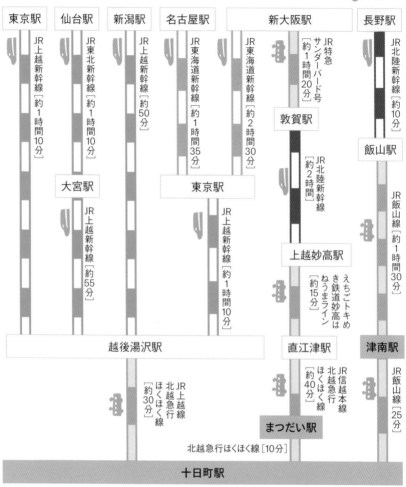

東京駅 JR上越新幹線［約1時間10分］

仙台駅 JR東北新幹線［約1時間10分］

新潟駅 JR上越新幹線［約50分］

名古屋駅 JR東海道新幹線［約1時間35分］ → **東京駅**

JR東海道新幹線［約2時間30分］ → **東京駅**

新大阪駅 JR特急サンダーバード号［約1時間20分］ → **敦賀駅** JR北陸新幹線［約2時間］ → **上越妙高駅**

長野駅 JR北陸新幹線［約10分］ → **飯山駅**

大宮駅 JR上越新幹線［約55分］

東京駅 JR上越新幹線［約1時間10分］

飯山駅 JR飯山線［約1時間30分］

越後湯沢駅 JR上越線 北越急行ほくほく線［約30分］

上越妙高駅 えちごトキめき鉄道妙高はねうまライン［約15分］ → **直江津駅**

直江津駅 JR信越本線 北越急行ほくほく線［約40分］ → **まつだい駅**

津南駅 JR飯山線［25分］

北越急行ほくほく線［10分］

十日町駅

越後妻有についた後は……

便利なオフィシャルツアーを！

作品鑑賞には、オフィシャルツアーがオススメです。エリアごとの新作や人気作をピンポイントで巡ることができます。越後妻有が初めての方にもリピーターにも大満足のラインナップ！ 車の運転が苦手、運転ができないという方はぜひご利用ください。詳しくはP017を参照ください。

現地内の移動手段も楽しみましょう

オフィシャルツアーだけでなく、大地の芸術祭は巡り方を考えるのも楽しみのひとつ。自家用車、レンタカー、タクシー、レンタサイクルなどを活用して自由にコースを組むのも旅の醍醐味です。路線バスや、JR飯山線、北越急行ほくほく線といった公共交通機関も活用できます。

自動車で越後妻有へ

新潟	仙台	東京	名古屋	大阪	金沢
北陸自動車道・関越自動車道［約1時間〜1時間30分］	東北自動車道・磐越自動車道・北陸自動車道・関越自動車道［約4時間30分〜5時間］	関越自動車道［約2時間30分〜3時間］	中央自動車道・長野自動車道・上信越自動車道［約3時間30分〜4時間］	名神高速道路・中央自動車道・長野自動車道・上信越自動車道［約6時間〜6時間30分］／名神高速道路・北陸自動車道［約6時間〜6時間30分］	北陸自動車道［約2時間〜2時間30分］

越後川口IC	六日町IC	豊田飯山IC	上越IC
国道117号［約30分］	国道253号［約30分］	国道117号［約1時間］	国道253号［約1時間］
		津南案内所（旧大口百貨店内）付近	まつだい「農舞台」付近
		国道117号［約30分］	国道253号［約30分］

十日町市・越後妻有里山現代美術館 MonET付近

高速利用には、お得な割引を

NEXCO東日本では、対象エリア内の周遊や、目的地エリアまでの往復高速道路料金が定額でリーズナブルになる「ドラ割」を販売しています。その中でも新潟を旅するなら「新潟観光ドライブパス」が最適です。詳しくは、下の二次元コードからドラ割のWebサイトをチェックしてください。

ETC周遊割引 ドラ割
https://www.driveplaza.com/etc/
drawari/

ドライブの疲れを癒すSA・PA

高速道路で一息つきたいときの、サービスエリアとパーキングエリア。
ご当地グルメを味わったり、特産品の買い物を楽しんだり。
ここでは関越道と北陸道のSAとPAの一部をご紹介します。

※こちらのSA・PAでは、芸術祭の作品鑑賞パスポート（P015）を購入することもできます

関越道

上里SA（下り）

練馬から約75km、東京方面からのファーストブレイクにちょうどいい。武州和牛と姫豚、2つの埼玉ブランド肉を贅沢に使用した上里ハンバーグがおすすめです。フードコートでは「姫豚丼」や「上里醤油らーめん」も人気です。

赤城高原SA（下り）

ここでは、日本三大うどんのひとつである「水沢うどん」をいただきたいところ。特産の舞茸や海老の天ぷらとのセットメニューが人気です。越後川口SAまでガスステーションがないので、給油のチェックを。

谷川岳PA（下り）

群馬県山間部に位置するPA。関越トンネルに入る前のリフレッシュに最適です。エリア内で谷川の名水「六年水」を汲むこともできます。食事のおすすめは、群馬県産「下仁田ポーク」100%使用の「もつ煮定食カレー味」。

関越道

越後川口SA（上り）

新潟県内最大のSA。つなぎに布海苔を使った「へぎそば」はつるりとした喉越しが自慢のイチオシメニュー（画像は2人前）。浪花屋の「柿の種」とコラボしたスイーツも人気があります。園地にある展望台から広がる絶景も見どころです。

北陸道

黒埼PA（上り）

新潟市に最も近いPA。プリプリのワンタンと絶品淡麗スープがマッチした「ワンタン中華そば」が大人気。新潟のご当地グルメ「タレかつ丼」は、お食事もお土産品もご用意。新潟ならではのお土産品も充実しています。

栄PA（上り）

PAのある燕・三条は全国的に有名な金物産地で、地元企業の爪切りや金物類も取りそろえています。ほかにも名物として、昔ながらの製法の「栃尾の油揚げ」も、数量限定で販売。お食事は新潟の五大ラーメンのひとつ「背脂ラーメン」が大人気です。

高速道路情報をリアルタイム配信！

LINE公式アカウント「NEXCO東日本」

NEXCO東日本では、高速道路の情報を「LINE」で配信しています。また「X（旧Twitter）」でもお届けしています。QRコードを読み取り、お出かけ前に最新情報をご確認ください。

X公式アカウント「NEXCO東日本（新潟）」

作品巡りの強い味方

レンタサイクル

自転車をレンタルすれば、小回りを活かした作品巡りもできます。電動アシスト付き自転車ならお快適。ただし、越後妻有地域は想像以上に広く、高低差が大きいです。事前に距離感をよく確認して、楽しみましょう。申込や手続きなど、詳細については各施設に問い合わせください。

十日町エリア	十日町市観光協会（十日町駅西口内）	☎025-757-3345
	あてま高原リゾートベルナティオ	☎025-758-4888
中里エリア	ミオンなかさと	☎025-763-4811
松代エリア	十日町市観光協会（まつだい駅内）	☎025-597-3442
	まつだい「農舞台」	☎025-595-6180
松之山エリア	湯治BAR・里山ビジターセンター（松之山温泉街）	☎025-595-8588
津南エリア	津南町観光協会	☎025-765-5585

●主な利用時間：9:00～17:00 ※時期や貸出場所により異なります
●主な自転車の種類・料金 ※貸出場所により異なります

レンタカー

最寄りの駅まで鉄道で移動して、駅近くで自動車をレンタルすることもできます。レンタルするなら、早めの問い合わせを。運転に不安を感じることがあれば、オフィシャルツアー（P017）に参加するのもおすすめです。

十日町駅周辺
・駅レンタカー十日町営業所（トヨタレンタリース内）
　☎025-752-2230／9:00～17:30※／十日町駅西口から徒歩2分
・トヨタレンタリース新潟　十日町店　☎025-752-6100／9:00～17:30※／十日町駅西口から徒歩2分
・美雪レンタカー　☎025-757-0008／7:30～19:30※／十日町駅西口から徒歩3分
・ロータス三洋自動車　☎025-757-2135／8:30～17:30／十日町駅から約1.5km
・ハクエイレンタカー　☎025-752-3465／8:30～19:00／十日町駅から約1.5km
※季節によって変更あり

津南町
・津南スズキ　☎025-765-2116／7:00～19:00／津南駅から約1.5km
・苗場自動車　☎025-765-2479／8:30～18:30／津南駅から約1.9km

越後湯沢駅周辺
・駅レンタカー越後湯沢営業所　☎025-785-5082／8:00～19:00／改札出て右側のビジターセンター内
・トヨタレンタリース新潟　越後湯沢駅前店　☎025-784-1003／9:00～19:00／西口から徒歩1分
・ニッポンレンタカー越後湯沢営業所　☎025-785-5300／8:00～19:00／越後湯沢駅東口より徒歩5分

タクシー

タクシーの運転手さんは、地域の道路事情に詳しい心強い存在です。仲間や家族と一緒にタクシーを貸切って巡れば、比較的費用のかからない作品巡りも可能です。

十日町・川西エリア
十日町交通　☎025-752-3146
十日町タクシー　☎025-752-3184
明石交通　☎025-757-3360

中里エリア
十日町タクシー田沢営業所　☎025-763-2366

松代・松之山エリア
東部タクシー　☎025-597-2254※受付は18:00まで

津南エリア
森宮交通　☎0120-47-6300／☎0269-87-2736
十日町タクシー津南営業所　☎025-765-5200

アーティストインデックス

作品を制作した作家名を50音順に記載。

※各作家の名字1文字目を基準

例）青木野枝→《あ》、ジャネット・ローレンス→《ろ》、ウー・ケンアン［鄔建安］→《う》

公益財団法人 福武財団

公益財団法人
内田エネルギー化学振興財団

協賛

 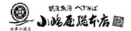 Adecco

  NOMURA 野村證券 株式会社 高橋組

   藤島無線工業株式会社

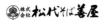

株式会社電算　小松屋装飾株式会社　株式会社美郷　株式会社松乃井酒造　株式会社羽生田
株式会社村山土建　日本郵便株式会社
株式会社吉楽土建　株式会社アスカコーポレーション　タレントスクエア株式会社　株式会社レックス
株式会社ナカノアイシステム十日町営業所　株式会社美佐伝　株式会社滝沢印刷

そのほか、越後妻有サポートサイト・とおかまち寄付協賛金・さとふるより大地の芸術祭へご支援いただいた皆さま

大地の芸術祭
越後妻有アートトリエンナーレ2024
公式ガイドブック

2024年5月31日 初版第一刷
　　　　9月5日　　第二刷

定価	税込1,200円（本体1,091円＋税）
発行	大地の芸術祭実行委員会 新潟県十日町市旭町251-17 https://www.echigo-tsumari.jp/
監修	北川フラム
編集	NPO法人越後妻有里山協働機構 大澤景
デザイン	北風総貴
編集協力	花見堂直恵、シャラポア野口
印刷・製本	シナノ印刷株式会社
発売	現代企画室 東京都渋谷区猿楽町29-18ヒルサイドテラスA8 Tel. 03-3461-5082　Fax. 03-3461-5083 http://www.apc.jca.org/gendai/

ISBN978-4-7738-2403-2 C0070 ¥1200E

Photo Credit

●公式カメラマン撮影（表紙含む）Kanemoto Rintaro ｜ P003-005, 014, 021, 023, 049, 050, 061, 068, 069, 093, 102, 103, 117, 123

●作品
「作品ガイド」ページの作品画像撮影者クレジットは、以下となります（表記は該当の作品番号）。
これ以外のページの撮影者クレジットは写真掲載ページに記載があります。
クレジットのないものは、「大地の芸術祭実行委員会」他の提供画像です。

Abe Sayuri ｜ K114(中村正)
Akimoto Shigeru ｜ T173
Anzaï ｜ T020, T021, T026-028, T029, T074, T076, K008, K019, K022, K023, K029, N002, N003, N005, N009, N010, D004, D007, D008, D010, D050, D052, D057, D063, D067, D070, Y011, Y012, Y013, Y020, Y029, Y035, Y106, A001
Duccio Benvenuti ｜ T450
Echigoya Izuru ｜ T462(contact Gonzo × dot architects)
Hirama Itaru ｜ E090
Inaba Shin ｜ T462(加藤みいさ)
Ishizuka Gentaro ｜ T305, T309, T320, T321, T325, T326, N017, N071, D012, D051, D103, D311, D322, D328, D331, D334, M001, M057
Kakizaki Masako ｜ K114(岡本光博)
Kasagi Yasuyuki ｜ T462(さとうりさ)
Kato Ken ｜ Y121
Kawase Kazue ｜ D143, D317
Kimura Soichiro ｜ K114(一色智登世)
Kioku Keizo ｜ T025, T221, T222, T351, T352, T411-416, T419, T421, T428, D058, D060, D218, D330, D362, D364, D380, D359 ,D377-379, D387, Y109, Y101, M063, M076
Kobayashi Takeshi ｜ T112

Kuroda Takeru ｜ T453
LUCENT ｜ M080
Miyamoto Takenori + Seno Hiromi ｜ T214, N046, N056, D184, D186, D194, Y072, M019, M024, M026, M028
Nakamura Osamu ｜ T067, T120-124, T134, T226, T227, T230, T253, T280, T304, T323, T384, T385 T387, T388, T390, T409, K002, K003, K009, K010, K012-014, K033, K044, K107, N001, N006, N012, N019, N021, N058, N060-062, N072, N079、D001-003, D006, D011, D015, D016, D046, D047, D053, D054, D061, D066, D068, D100, D101, D104, D106, D125, D129, D132, D209, D266, D247, D248, D312, D320, D325, D332, D338, D344, D340, D346, D351, D353, D360, D365, D366, D385, D389, Y002, Y003, Y005, Y006, Y019, Y021-023, Y026, Y041, Y065, Y082, Y107, Y110, M037, M065, M083、E091-095, E097, A003
Nogawa Kasane ｜ D102
Noguchi Hiroshi ｜ Y045
Saito Sadamu ｜ K114(島田忠幸)
T.Kuratani ｜ T139, T154, T200, Y052
Takashima Kiyotoshi ｜ K114(五月女かおる), D358
Yamada Tsutomu ｜ K005
Yanagi Ayumi ｜ K002, K007, D055, D348, M064, E096, E099